LE SILENCE DE LA MER

ŒUVRES DE VERCORS

Paru dans Le Livre de Poche :

VERCORS

Le silence de la mer

ET AUTRES RÉCITS

ALBIN MICHEL

EN GUISE DE PREFACE

DÉSESPOIR EST MORT

Je n'ai pas encore très bien compris comment cela s'est fait, — en moi et en nous. D'ailleurs, je ne cherche pas. Il est de certains miracles très naturels. Je veux dire : très faciles à accepter. Je les accepte de grand cœur et celui-ci fut de ceux-là. J'y pense souvent. Je m'attendris, je souris et m'étire. Je sais qu'il y aurait sûrement quelque chose à trouver. A quoi bon? Cette demi-ignorance, ma foi, me convient.

Comme les plus profonds tourments pâlissent vite! Il y a trente mois je désirais la mort[1]. Nous étions quelques-uns à la désirer. Nous ne parve-

1. Écrit en 1942.

nions à voir devant nous rien qu'un abîme fétide.
Comment y vivre? Pourquoi attendre une asphy-
xie immonde? Ah! trouver un rocher désert,
une île abandonnée, loin de la mêlée répugnante
des hommes... Comme cela semble étrange,
aujourd'hui, — où nous avons tant de motifs d'espérer! Mais l'espoir, le désespoir, ne sont pas
choses raisonnantes ni raisonnables. Le désespoir
s'était emparé de nous, du chef à l'orteil. Et, il
faut bien l'avouer, ce que nous avions vu, ce que
nous voyions encore ne nous aidait guère à le
secouer.

Car nous n'étions pas tous désespérés. Oh!
non. Dans ce mess hétéroclite, où le désastre avait
rassemblé une douzaine d'officiers venus de
toutes parts, sans point commun sinon celui de
n'avoir pas combattu, la note dominante n'était
pas le désespoir. Chacun était avant tout préoc-
cupé de soi. Et pourvu que tous les chemins ne
fussent pas coupés devant lui, prenait le reste
assez légèrement. En ce juillet-là courait le mythe
Laval-Talleyrand : une canaille, après Waterloo,
avait en quelques années refait une France redou-
tée; une canaille referait de même. Il suffisait
d'attendre.

Il y avait là un homme que j'appellerai le

Capitaine Randois. Je ne l'aimais pas. Dès avant
la défaite, tout en lui m'était ennemi : son caractère hautain, ses convictions monarchiques, son
mépris de la foule. J'évitais de lui parler. Je crai-
gnais qu'il ne laissât, d'un mot, deviner la satisfaction que les malheurs de la République, le
triomphe de la tyrannie, devaient avoir fait
naître en lui. Je n'aurais pu le supporter sans
réagir. Mes nerfs étaient peu solides alors. Heureusement, lui non plus ne parlait guère. Il man-
geait en silence, son grand nez coupant baissé
vers la nappe. Les incessantes discussions, politiques et imbéciles, qui formaient la trame de
nos repas, n'obtenaient de lui qu'un dédain que
j'aurais trouvé insultant, — si je n'eusse fait tout
comme lui. Notre pauvre vieux brigand de
commandant, conseiller général du Gard, prési-
dait ces joutes, les couvait de ses gros yeux
éteints. Il ressemblait, par le visage et l'accent, à
un Raimu amolli, à l'un des Fratellini aussi,
— celui qui est mort, celui qui cachait ses déri-
soires malices sous un aspect de notaire solennel.
Il interrogeait l'avenir avec malaise, inquiet de
la place qu'il pourrait y creuser pour son adi-
peuse papelardise. Il dit un jour :

— "Randois, vous avez vu? Votre Maurras

se range sans restriction derrière le Maréchal. ”
Quand il parlait, il semblait que son accent fût
noyé dans une gorgée d’eau, qu’on se fût attendu
à voir couler entre ses lèvres molles. “ Je suis
un vieux radical, mais, dans le malheur de la
patrie, il faut oublier ses convictions. Votre
Maurras, bravo, c’est très bien. Que penseront
nos vainqueurs, selon vous? ”

Le Capitaine Randois leva le nez. Et ses yeux,
ses yeux bleus et froids (je les trouvais cruels) se
posèrent sur moi. Oui, sur moi et sur mon voisin le Capitaine Despérados; et il répondit :

— Les Fridolins? Ils nous auront jusqu’au
trognon.

Sa voix était d’une tristesse sans borne. Je fus
surpris, — plus encore du regard que des paroles.
Ainsi, il nous rejoignait, il avait su nous rejoindre,
nous les solitaires, nous les muets. Il avait mieux
su me comprendre, que moi, lui. Aujourd’hui,
je sais bien que je manquais de sagacité. Car ce
mess était à l’image de ce pays, où seuls les lâches,
les malins et les méchants allaient continuer de
pérorer; où les autres n’auraient, pour protester,
que leur silence. Randois nous avait reconnus.

J’étais silencieux. Mais le Capitaine Despérados l’était plus que moi. Il avait, lui, participé à

" notre " bataille : à la bataille postiche, au déshonorant simulacre qui nous en avait plus appris, en ces trois jours serrés entre deux armistices, sur l'infamie dérisoire de certains hommes couverts d'honneurs, que l'expérience de toute une vie. Il avait assisté d'un bout à l'autre à la honteuse et cruelle comédie. Il avait eu dans les mains, on lui avait mis impudemment dans les mains des preuves immondes et puantes : celles du souci unique, aux pires jours du désastre, qu'avait eu un chef indigne de préparer les voies de son ambition. Ambition sordide. On eût dit qu'il en avait pâli, — pâli à jamais. Il était pâle et raide, raide d'une vieille blessure qui l'empêchait de tourner la tête sans tourner aussi les épaules; et plus pâle d'une cicatrice qui partageait en deux son beau visage de matador grisonnant, ouvrant en passant l'œil droit, comme eût fait un monocle. Et cela lui donnait une expression double, pénétrante et dominatrice. Pendant toutes ces semaines, il ne sourit jamais. Je ne l'ai jamais vu rire, — sauf une fois.

Oui, j'ai presque un effort à faire aujourd'hui pour comprendre, comme je le comprenais alors, qu'un homme pût être si mortellement découragé qu'il lui fût impossible, pendant des semaines,

de sourire. J'étais ainsi moi-même, pourtant.
Nous traînions nos gros souliers oisifs dans
l'unique rue de ce village brûlé de soleil, où l'on
nous avait cantonnés après l'armistice. Nous
n'en pouvions sortir. Nous n'avions d'autre
choix que les deux bistrots, le banc du jardinet
qu'une aimable personne avait offert, ou notre
chambre. Pour ma part, j'avais choisi ma chambre.
Je n'en bougeais guère. Mon accablement s'y
nourrissait de soi-même, s'engraissait de ce fatal
désœuvrement. Je pense aujourd'hui que Randois, que Despérados menaient la même torturante
vie. Peut-être faut-il voir là les raisons de cet
infernal silence, où nous nous étions murés malgré nous.

Ma chambre était petite. Je l'avais choisie
parce qu'elle était petite. Elle ouvrait sur les toits
par une mince fenêtre haut placée. Ainsi elle
était constituée, un peu, comme un cachot, — un
cachot qu'une jeune fille eût adouci de ses soins.
Je restais là, de longues heures, entre ces murs
rapprochés. Prisonnier dans ces murs comme
dans les pensées, simples et horribles, que je ne
pouvais chasser. J'aimais sentir ces murs peser
sur moi, comme on aime à presser d'un doigt
nerveux une gencive irritée. Cela n'était certes

pas bon pour la santé de l'esprit. Pas pire, sans
doute, que d'errer d'un bistrot à l'autre, que
d'assister à la lâcheté de tous.

J'avais fini par ne sortir guère qu'à l'heure des
repas. Je n'avais pas un long chemin à faire. La
maison qui abritait notre mess faisait face à la
mienne, par-delà une étroite ruelle caillouteuse.
Ces repas étaient animés et bruyants. Ils étaient
pour moi lugubres. On nous y engraissait comme
des oies. L'Intendance n'avait pas encore été tou-
chée par la défaite, et nous fournissait plusieurs
viandes par repas, qu'un cuistot arrogant, titu-
laire d'un diplôme de cuisine militaire et qu'un
de nous avait découvert et " voracé ", déguisait
sous des sauces savamment immondes, devant
lesquelles le mess fondait d'admiration. On s'en
félicitait mutuellement. La plus franche cordialité régnait entre ces hommes galonnés, qui se
déchiraient l'un l'autre sitôt séparés. Ils étaient
tous rivaux, pour une raison ou une autre. La
débâcle n'avait pas détruit chez eux le goût des
préséances, dont ils allaient être bientôt privés.
Leur rivalité était aussi plus matérielle. Certains
avaient vite compris qu'il y avait quelque chose
à tirer de la désorganisation générale, de la difficulté des contrôles. Le plus haï était celui qu'on

accablait, aux repas, des plus hautes marques de
fidèle respect, notre commandant-Fratellini, à qui
son grade permettait les plus fructueuses rapines.
Nous savions que son grenier se remplissait de
chocolat, de pâtes, de riz. J'aurais dû, moi aussi,
haïr cet homme. Je ne sais pourquoi, je n'y par-
venais pas. Peut-être parce que sa canaillerie était
si évidemment native qu'elle en devenait ingé-
nue. Peut-être aussi parce que je savais — avant
lui — qu'il allait mourir. Il en était arrivé à un
point d'urémie qui ne pouvait tarder d'amener
une crise. Il s'endormait, non pas seulement après
le repas, non pas seulement entre chaque plat :
entre chaque bouchée, — quelques secondes, sa
fourchette levée. Je voyais les autres rire. C'était
pitoyable et tragique. " Mon Dieu, pensais-je,
qu'il garnisse son grenier. " Pourtant je m'en
voulais de cette indulgence.

J'étais heureux d'avoir Despérados auprès de
moi. Je me sentais moins seul. Non pas que nous
eussions jamais échangé un mot de quelque importance. Mais, parfois, quand je sentais moi-
même se gonfler mon cœur de dégoût, devant
quelque nouvelle marque de la funeste insou-
ciance de ces hommes en qui le pays avait cru
trouver des chefs, je voyais se tourner vers moi

le cou raide, se poser sur moi l'œil dilaté. Nous
croisions ainsi nos regards, et cela nous soula-
geait. Nous n'allions pas plus loin dans nos confi-
dences.

Ce matin-là, pourtant, il se laissa aller à quelque chose de plus. Quand j'entrai pour prendre
ma tasse de café, il était là, seul devant la sienne.
Il lisait le *Petit Dauphinois*. C'était un des premiers qui nous parvînt, après ces quinze horribles
jours. Et soudain il me le tendit, silencieusement
et rageusement, marquant du pouce l'éditorial,
et tandis que je lisais à mon tour, il garda posés
sur moi ses yeux lumineux. Oui, ce qu'il me fit
lire dépassait tout ce qu'on pouvait attendre. Ce
que le plus grand mépris des hommes n'aurait
suffi à nous faire croire sans preuve. On nous res-
sortait, simplement (n'oubliez pas que c'était la
première fois), Jeanne d'Arc, Sainte-Hélène, et
la perfide Albion. Dans cette même colonne, sous
cette même signature, où trois semaines plus tôt
le même homme nous parlait encore, avec une
délectation sadique, des milliers de barbares teu-
tons que la Lys et la Somme charriaient, san-
glants et putrides, vers la mer.

Qu'aurais-je dit? Je ne dis rien. Mais, me ren-
versant sur ma chaise, je partis à rire. Despérados

appuya ses avant-bras sur la table, et il rit aussi.
D'un rire long et bruyant, en se balançant un
peu. C'était un bruit déplaisant, cette gaieté sans
joie dans cette pièce maussade où traînait une
odeur de pain moisi. Puis nous nous tûmes, et
nous nous levâmes, car c'était l'heure, pour nous,
d'assister, dans la petite église, à une messe pour
le repos des morts de la guerre. Cela eût pu être
émouvant et simple. Ce fut odieux et grotesque.
Un prêche nous fut fait par un jeune soldat-prêtre,
studieux et ambitieux, heureux de trouver là une
occasion d'exercer son éloquence. Il nous servit
une oraison vide et pompeuse, encore maladroite
d'ailleurs et que ne sauvait pas même le talent.

Je sortis de là plus accablé que jamais. Je marchais tête basse, entre Despérados et Randois qui
s'était joint silencieusement à nous. Comme nous
passions dans une ruelle herbeuse, entre deux
hauts murs de jardin, je ne pus retenir tout à fait
un des soupirs contraints dont ma poitrine était
pleine à faire mal. Randois tourna la tête vers
moi, et je vis qu'il souriait affectueusement.

— Nous traînons notre besace, dit-il, et passant entre nous, il nous prit chacun par le bras.

Nous parvînmes ainsi devant le mess. Ce
n'était pas l'heure encore. Pour la première fois,

nous ne nous séparâmes pas. Nous nous assîmes
sur le bord de l'étroit trottoir, et le silence sur
nous pesa une fois de plus.

C'est alors que nous vîmes venir les quatre
petits canetons.

Je les connaissais. Souvent j'avais regardé l'un
ou l'autre, l'une ou l'autre de ces très comiques
boules de duvet jaunâtre, patauger, sans cesser
une seconde de couiner d'une voix fragile et
attendrissante, dans les caniveaux ou la moindre
flaque. Plus d'une fois, l'un d'eux m'avait ainsi
aidé à vivre, un peu plus vite, un peu moins lourdement, quelques-unes des minutes de ces interminables jours. Je leur en savais gré.

Cette fois, ils venaient tous quatre à la file, à
la manière des canards. Ils venaient de la grande
rue, claudicants et solennels, vifs, vigilants et
militaires. Ils ne cessaient de couiner. Ils faisaient
penser à ces défilés de gymnastes, portant orgueil-
leusement leur bannière et chantant fermement
d'une voix très fausse. J'ai dit qu'ils étaient
quatre. Le dernier était plus jeune, — plus petit,
plus jaune, plus poussin. Mais bien décidé à n'être
pas traité comme tel. Il couinait plus fort que les
autres, s'aidait des pattes et des ailerons pour se

tenir à la distance réglementaire. Mais les cail-
loux que ses aînés franchissaient avec maladresse
mais fermeté formaient, pour lui, autant d'em-
bûches où son empressement venait buter. En
vérité, rien d'autre ne peut peindre fidèlement ce
qui lui arrivait alors, sinon de dire qu'il se cassait
la gueule. Tous les six pas, il se cassait ainsi la
gueule et il se relevait et repartait, et s'empressait
d'un air martial et angoissé, couinant avec une
profusion et une ponctualité sans faiblesse, et se
retrouvait le bec dans la poussière. Ainsi défilè-
rent-ils tous les quatre, selon l'ordre immuable
d'une parade de canards. Rarement ai-je assisté à
rien d'aussi comique. De sorte que je m'entendis
rire, et aussi Despérados, mais non plus de notre
affreux rire du matin. Le rire de Despérados
était, cette fois, profond et sain et agréable à
entendre. Et même le rire un peu sec de Randois
n'était pas désagréable. Et les canetons, toujours
couinant, tournèrent le coin de la ruelle, et nous
vîmes le petit, une dernière fois, se casser la
gueule avant de disparaître. Et alors, voilà, Randois nous mit ses mains aux épaules, et il s'appuya sur nous pour se lever, et ce faisant il serra
les doigts, affectueusement, et nous fit un peu
mal. Et il dit :

— A la soupe! Venez. Nous en sortirons.

Or, c'était cela justement que je pensais : nous en sortirons. Oh! je mentirais en prétendant que je pensai ces mots-là exactement. Pas plus que je ne pensai alors précisément à des siècles, à d'interminables périodes plus sombres encore que celle-ci qui s'annonçait pourtant si noire; ni au courage désespéré, à l'opiniâtreté surhumaine qu'il fallut à quelques moines, au milieu de ces meurtres, de ces pillages, de cette ignorance fanatique, de cette cruauté triomphante, pour se passer de main en main un fragile flambeau pendant près de mille ans. Ni que cela valait pourtant la peine de vivre, si tel devait être notre destin, notre seul devoir désormais. Certes, je ne pensai pas précisément tout cela. Mais ce fut comme lorsqu'on voit la reliure d'un livre que l'on connaît bien.

Comment ces quatre petits canards, par quelle voie secrète de notre esprit nous menèrent-ils à découvrir soudain que notre désespoir était pervers et stérile? Je ne sais. Aujourd'hui où je m'applique à écrire ces lignes, je serais tenté d'imaginer quelque symbole, à la fois séduisant et facile. Peut-être n'aurais-je pas tort. Peut-être, en effet, inconsciemment pensai-je aux petits

canards qui déjà devaient défiler non moins
comiquement sous les yeux des premiers chré-
tiens, qui avaient plus que nous lieu de croire
tout perdu. Peut-être trouvai-je qu'ils parodiaient
assez bien, ces quatre canetons fanfarons et candides, ce qu'il y a de pire dans les sentiments des
hommes en groupe, comme aussi ce qu'il y a de
meilleur en eux. Et qu'il valait de vivre, puisqu'on pouvait espérer un jour extirper ce pire,
faire refleurir ce meilleur. Peut-être. Mais il se
pourrait plus encore que, tout cela, je le décou-
vrisse seulement pour les besoins de la cause. Au
fond, j'aime mieux le mystère. Je sais, cela seul
est sûr, que c'est à ces petits canards délurés, mar-
tiaux, attendrissants et ridicules, que je dus, au
plus sombre couloir d'un sombre jour, de sentir
mon désespoir soudain glisser de mes épaules
comme un manteau trop lourd. Cela suffit. Je ne
l'oublierai pas.

LE SILENCE DE LA MER

Il fut précédé par un grand déploiement d'appareil militaire. D'abord deux troufions, tous deux très blonds, l'un dégingandé et maigre, l'autre carré, aux mains de carrier. Ils regardèrent la maison, sans entrer. Plus tard vint un sous-officier. Le troufion dégingandé l'accompagnait. Ils me parlèrent, dans ce qu'ils supposaient être du français. Je ne comprenais pas un mot. Pourtant je leur montrai les chambres libres. Ils parurent contents.

Le lendemain matin, un torpédo militaire, gris et énorme, pénétra dans le jardin. Le chauffeur et un jeune soldat mince, blond et souriant, en extirpèrent deux caisses, et un gros ballot entouré de toile grise. Ils montèrent le tout dans la chambre la plus vaste. Le torpédo repartit, et

quelques heures plus tard j'entendis une caval-
cade. Trois cavaliers apparurent. L'un d'eux mit
pied à terre et s'en fut visiter le vieux bâtiment
de pierre. Il revint, et tous, hommes et chevaux,
entrèrent dans la grange qui me sert d'atelier. Je
vis plus tard qu'ils avaient enfoncé le valet de
mon établi entre deux pierres, dans un trou du
mur, attaché une corde au valet, et les chevaux
à la corde.

Pendant deux jours il ne se passa plus rien.
Je ne vis plus personne. Les cavaliers sortaient de
bonne heure avec leurs chevaux, ils les rame-
naient le soir, et eux-mêmes couchaient dans la
paille dont ils avaient garni la soupente.

Puis, le matin du troisième jour, le grand torpédo revint. Le jeune homme souriant chargea
une cantine spacieuse sur son épaule et la porta
dans la chambre. Il prit ensuite son sac qu'il
déposa dans la chambre voisine. Il descendit et,
s'adressant à ma nièce dans un français correct,
demanda des draps.

Ce fut ma nièce qui alla ouvrir quand on frappa. Elle venait de me servir mon café, comme chaque soir (le café me fait dormir). J'étais assis au fond de la pièce, relativement dans l'ombre. La porte donne sur le jardin, de plain-pied. Tout le long de la maison court un trottoir de carreaux rouges très commode quand il pleut. Nous entendîmes marcher, le bruit des talons sur le carreau. Ma nièce me regarda et posa sa tasse. Je gardai la mienne dans mes mains.

Il faisait nuit, pas très froid : ce novembre-là ne fut pas très froid. Je vis l'immense silhouette, la casquette plate, l'imperméable jeté sur les épaules comme une cape.

Ma nièce avait ouvert la porte et restait silencieuse. Elle avait rabattu la porte sur le mur, elle se tenait elle-même contre le mur, sans rien regarder. Moi je buvais mon café, à petits coups. L'officier, à la porte, dit : " S'il vous plaît. " Sa tête fit un petit salut. Il sembla mesurer le silence. Puis il entra.

La cape glissa sur son avant-bras, il salua militairement et se découvrit. Il se tourna vers ma nièce, sourit discrètement en inclinant très légèrement le buste. Puis il me fit face et m'adressa une révérence plus grave. Il dit : " Je me nomme Werner von Ebrennac. " J'eus le temps de penser, très vite : " Le nom n'est pas allemand. Descendant d'émigré protestant ? " Il ajouta : " Je suis désolé. "

Le dernier mot, prononcé en traînant, tomba dans le silence. Ma nièce avait fermé la porte et restait adossée au mur, regardant droit devant elle. Je ne m'étais pas levé. Je déposai lentement ma tasse vide sur l'harmonium et croisai mes mains et attendis.

L'officier reprit : " Cela était naturellement nécessaire. J'eusse évité si cela était possible. Je pense mon ordonnance fera tout pour votre tranquillité. " Il était debout au milieu de la pièce. Il était immense et très mince. En levant le bras il eût touché les solives.

Sa tête était légèrement penchée en avant, comme si le cou n'eût pas été planté sur les épaules, mais à la naissance de la poitrine. Il n'était pas voûté, mais cela faisait comme s'il l'était. Ses hanches et ses épaules étroites étaient

impressionnantes. Le visage était beau. Viril et
marqué de deux grandes dépressions le long des
joues. On ne voyait pas les yeux, que cachait
l'ombre portée de l'arcade. Ils me parurent clairs.
Les cheveux étaient blonds et souples, jetés en
arrière, brillant soyeusement sous la lumière du
lustre.

Le silence se prolongeait. Il devenait de plus
en plus épais, comme le brouillard du matin.
Épais et immobile. L'immobilité de ma nièce,
la mienne aussi sans doute, alourdissaient ce
silence, le rendaient de plomb. L'officier lui-
même, désorienté, restait immobile, jusqu'à ce
qu'enfin je visse naître un sourire sur ses lèvres.
Son sourire était grave et sans nulle trace d'ironie. Il ébaucha un geste de la main, dont la
signification m'échappa. Ses yeux se posèrent sur
ma nièce, toujours raide et droite, et je pus
regarder moi-même à loisir le profil puissant, le
nez proéminent et mince. Je voyais, entre les
lèvres mi-jointes, briller une dent d'or. Il détourna
enfin les yeux et regarda le feu dans la cheminée
et dit : " J'éprouve un grand estime pour les
personnes qui aiment leur patrie ", et il leva
brusquement la tête et fixa l'ange sculpté au-
dessus de la fenêtre. " Je pourrais maintenant

monter à ma chambre, dit-il. Mais je ne connais pas le chemin. " Ma nièce ouvrit la porte qui donne sur le petit escalier et commença de gravir les marches, sans un regard pour l'officier, comme si elle eût été seule. L'officier la suivit. Je vis alors qu'il avait une jambe raide.

Je les entendis traverser l'antichambre, les pas de l'Allemand résonnèrent dans le couloir, alternativement forts et faibles, une porte s'ouvrit, puis se referma. Ma nièce revint. Elle reprit sa tasse et continua de boire son café. J'allumai une pipe. Nous restâmes silencieux quelques minutes. Je dis : " Dieu merci, il a l'air convenable. " Ma nièce haussa les épaules. Elle attira sur ses genoux ma veste de velours et termina la pièce invisible qu'elle avait commencé d'y coudre.

Le lendemain matin l'officier descendit quand nous prenions notre petit déjeuner dans la cuisine. Un autre escalier y mène et je ne sais si l'Allemand nous avait entendus ou si ce fut par hasard qu'il prit ce chemin. Il s'arrêta sur le seuil et dit : " J'ai passé une très bonne nuit. Je voudrais que la vôtre fusse aussi bonne. " Il regardait la vaste pièce en souriant. Comme nous avions peu de bois et encore moins de charbon, je l'avais repeinte, nous y avions amené quelques meubles, des cuivres et des assiettes anciennes, afin d'y confiner notre vie pendant l'hiver. Il examinait cela et l'on voyait luire le bord de ses dents très blanches. Je vis que ses yeux n'étaient pas bleus comme je l'avais cru, mais dorés. Enfin, il traversa la pièce et ouvrit la porte sur le jardin. Il fit deux pas et se retourna pour regarder notre longue maison basse, couverte de treilles, aux vieilles tuiles brunes. Son sourire s'ouvrit largement.

— Votre vieux maire m'avait dit que je loge-

rais au château, dit-il en désignant d'un revers
de main la prétentieuse bâtisse que les arbres
dénudés laissaient apercevoir, un peu plus haut
sur le coteau. Je féliciterai mes hommes qu'ils
se soient trompés. Ici c'est un beaucoup plus beau
château.

Puis il referma la porte, nous salua à travers
les vitres, et partit.

Il revint le soir à la même heure que la veille.
Nous prenions notre café. Il frappa, mais n'attendit pas que ma nièce lui ouvrît. Il ouvrit lui-
même : " Je crains que je vous dérange, dit-il.
Si vous le préférez, je passerai par la cuisine :
alors vous fermerez cette porte à clef. " Il traversa la pièce, et resta un moment la main sur
la poignée, regardant les divers coins du fumoir.
Enfin il eut une petite inclinaison du buste : " Je
vous souhaite une bonne nuit ", et il sortit.

Nous ne fermâmes jamais la porte à clef. Je
ne suis pas sûr que les raisons de cette absten-
tion fussent très claires ni très pures. D'un accord
tacite nous avions décidé, ma nièce et moi, de ne
rien changer à notre vie, fût-ce le moindre détail :
comme si l'officier n'existait pas; comme s'il
eût été un fantôme. Mais il se peut qu'un autre
sentiment se mêlât dans mon cœur à cette volonté :

je ne puis sans souffrir offenser un homme,
fût-il mon ennemi.

Pendant longtemps, — plus d'un mois, — la
même scène se répéta chaque jour. L'officier
frappait et entrait. Il prononçait quelques mots
sur le temps, la température, ou quelque autre
sujet de même importance : leur commune pro-
priété étant qu'ils ne supposaient pas de réponse.
Il s'attardait toujours un peu au seuil de la petite
porte. Il regardait autour de lui. Un très léger
sourire traduisait le plaisir qu'il semblait prendre
à cet examen, — le même examen chaque jour
et le même plaisir. Ses yeux s'attardaient sur le
profil incliné de ma nièce, immanquablement
sévère et insensible, et quand enfin il détournait
son regard j'étais sûr d'y pouvoir lire une sorte
d'approbation souriante. Puis il disait en s'inclinant : " Je vous souhaite une bonne nuit ", et il
sortait.

Les choses changèrent brusquement un soir. Il
tombait au-dehors une neige fine mêlée de pluie,
terriblement glaciale et mouillante. Je faisais brûler dans l'âtre des bûches épaisses que je conser-
vais pour ces jours-là. Malgré moi j'imaginais
l'officier, dehors, l'aspect saupoudré qu'il aurait
en entrant. Mais il ne vint pas. L'heure était lar-

gement passée de sa venue et je m'agaçais de reconnaître qu'il occupait ma pensée. Ma nièce tricotait lentement, d'un air très appliqué.

Enfin des pas se firent entendre. Mais ils venaient de l'intérieur de la maison. Je reconnus, à leur bruit inégal, la démarche de l'officier. Je compris qu'il était entré par l'autre porte, qu'il venait de sa chambre. Sans doute n'avait-il pas voulu paraître à nos yeux sous un uniforme trempé et sans prestige : il s'était d'abord changé.

Les pas, — un fort, un faible, — descendirent l'escalier. La porte s'ouvrit et l'officier parut. Il était en civil. Le pantalon était d'épaisse flanelle grise, la veste de tweed bleu acier enchevêtré de mailles d'un brun chaud. Elle était large et ample, et tombait avec un négligé plein d'élégance. Sous la veste, un chandail de grosse laine écrue moulait le torse mince et musclé.

— Pardonnez-moi, dit-il. Je n'ai pas chaud. J'étais très mouillé et ma chambre est très froide. Je me chaufferai quelques minutes à votre feu.

Il s'accroupit avec difficulté devant l'âtre, tendit les mains. Il les tournait et les retournait. Il disait : " Bien !... Bien !... " Il pivota et présenta son dos à la flamme, toujours accroupi et tenant un genou dans ses bras.

— Ce n'est rien ici, dit-il. L'hiver en France est une douce saison. Chez moi c'est bien dur. Très. Les arbres sont des sapins, des forêts serrées, la neige est lourde là-dessus. Ici les arbres sont fins. La neige dessus c'est une dentelle. Chez moi on pense à un taureau, trapu et puissant, qui a besoin de sa force pour vivre. Ici c'est l'esprit, la pensée subtile et poétique.

Sa voix était assez sourde, très peu timbrée. L'accent était léger, marqué seulement sur les consonnes dures. L'ensemble ressemblait à un bourdonnement plutôt chantant.

Il se leva. Il appuya l'avant-bras sur le linteau de la haute cheminée, et son front sur le dos de sa main. Il était si grand qu'il devait se courber un peu, moi je ne me cognerais pas même le sommet de la tête.

Il demeura sans bouger assez longtemps, sans bouger et sans parler. Ma nièce tricotait avec une vivacité mécanique. Elle ne jeta pas les yeux sur lui, pas une fois. Moi je fumais, à demi allongé dans mon grand fauteuil douillet. Je pensais que la pesanteur de notre silence ne pourrait pas être secouée. Que l'homme allait nous saluer et partir.

Mais le bourdonnement sourd et chantant

s'éleva de nouveau, on ne peut dire qu'il rompit le silence, ce fut plutôt comme s'il en était né.

— J'aimai toujours la France, dit l'officier sans bouger. Toujours. J'étais un enfant à l'autre guerre et ce que je pensais alors ne compte pas. Mais depuis je l'aimai toujours. Seulement c'était de loin. Comme la Princesse Lointaine. " Il fit une pause avant de dire gravement : " A cause de mon père. "

Il se retourna et, les mains dans les poches de sa veste, s'appuya le long du jambage. Sa tête cognait un peu sur la console. De temps en temps il s'y frottait lentement l'occipital, d'un mouvement naturel de cerf. Un fauteuil était là offert, tout près. Il ne s'y assit pas. Jusqu'au dernier jour, il ne s'assit jamais. Nous ne le lui offrîmes pas et il ne fit rien, jamais, qui pût passer pour de la familiarité.

Il répéta :

— A cause de mon père. Il était un grand patriote. La défaite a été une violente douleur. Pourtant il aima la France. Il aima Briand, il croyait dans la République de Weimar et dans Briand. Il était très enthousiaste. Il disait : " Il va nous unir, comme mari et femme. " Il pensait que le soleil allait enfin se lever sur l'Europe...

En parlant il regardait ma nièce. Il ne la regardait pas comme un homme regarde une femme,
mais comme il regarde une statue. Et en fait,
c'était bien une statue. Une statue animée, mais
une statue.

— ... Mais Briand fut vaincu. Mon père vit
que la France était encore menée par vos Grands
Bourgeois cruels, — les gens comme vos de
Wendel, vos Henry Bordeaux et votre vieux
Maréchal. Il me dit : " Tu ne devras jamais
aller en France avant d'y pouvoir entrer botté
et casqué. " Je dus le promettre, car il était près
de la mort. Au moment de la guerre, je connaissais toute l'Europe, sauf la France.

Il sourit et dit, comme si cela avait été une
explication :

— Je suis musicien.

Une bûche s'effondra, des braises roulèrent
hors du foyer. L'Allemand se pencha, ramassa
les braises avec des pincettes. Il poursuivit :

— Je ne suis pas exécutant : je compose de la
musique. Cela est toute ma vie, et, ainsi, c'est
une drôle de figure pour moi de me voir en
homme de guerre. Pourtant je ne regrette pas
cette guerre. Non. Je crois que de ceci il sortira
de grandes choses....

Il se redressa, sortit ses mains des poches et les
tint à demi levées :

— Pardonnez-moi : peut-être j'ai pu vous
blesser. Mais ce que je disais, je le pense avec un
très bon cœur : je le pense par amour pour la
France. Il sortira de très grandes choses pour
l'Allemagne et pour la France. Je pense, après
mon père, que le soleil va luire sur l'Europe.

Il fit deux pas et inclina le buste. Comme chaque
soir il dit : " Je vous souhaite une bonne nuit. "
Puis il sortit.

Je terminai silencieusement ma pipe. Je toussai
un peu et je dis : " C'est peut-être inhumain de
lui refuser l'obole d'un seul mot. " Ma nièce
leva son visage. Elle haussait très haut les sourcils,
sur des yeux brillants et indignés. Je me sentis
presque un peu rougir.

Depuis ce jour, ce fut le nouveau mode de ses visites. Nous ne le vîmes plus que rarement en tenue. Il se changeait d'abord et frappait ensuite à notre porte. Était-ce pour nous épargner la vue de l'uniforme ennemi? Ou pour nous le faire oublier, — pour nous habituer à sa personne? Les deux, sans doute. Il frappait, et entrait sans attendre une réponse qu'il savait que nous ne donnerions pas. Il le faisait avec le plus candide naturel, et venait se chauffer au feu, qui était le prétexte constant de sa venue — un prétexte dont ni lui ni nous n'étions dupes, dont il ne cherchait pas même à cacher le caractère commodément conventionnel.

Il ne venait pas absolument chaque soir, mais je ne me souviens pas d'un seul où il nous quittât sans avoir parlé. Il se penchait sur le feu, et tandis qu'il offrait à la chaleur de la flamme quelque partie de lui-même, sa voix bourdonnante s'élevait doucement, et ce fut au long de ces soirées, sur les sujets qui habitaient son cœur,

— son pays, la musique, la France, — un interminable monologue; car pas une fois il ne tenta
d'obtenir de nous une réponse, un acquiesce-
ment, ou même un regard. Il ne parlait pas longtemps, — jamais beaucoup plus longtemps que
le premier soir. Il prononçait quelques phrases,
parfois brisées de silences, parfois s'enchaînant
avec la continuité monotone d'une prière. Quelquefois immobile contre la cheminée, comme une
cariatide, quelquefois s'approchant, sans s'inter-
rompre, d'un objet, d'un dessin au mur. Puis il
se taisait, il s'inclinait et nous souhaitait une bonne
nuit.

Il dit une fois (c'était dans les premiers temps
de ses visites) :

— Où est la différence entre un feu de chez
moi et celui-ci? Bien sûr le bois, la flamme, la
cheminée se ressemblent. Mais non la lumière.
Celle-ci dépend des objets qu'elle éclaire, — des
habitants de ce fumoir, des meubles, des murs,
des livres sur les rayons...

"Pourquoi aimé-je tant cette pièce? dit-il
pensivement. Elle n'est pas si belle, — pardonnez-moi!... " Il rit : " Je veux dire : ce n'est
pas une pièce de musée... Vos meubles, on ne dit
pas : voilà des merveilles... Non... Mais cette

pièce a une âme. Toute cette maison a une âme. "

Il était devant les rayons de la bibliothèque.
Ses doigts suivaient les reliures d'une caresse
légère.

— " ... Balzac, Barrès, Baudelaire, Beaumar-
chais, Boileau, Buffon... Chateaubriand, Cor-
neille, Descartes, Fénelon, Flaubert... La Fontaine, France, Gautier, Hugo... Quel appel! "
dit-il avec un rire léger et hochant la tête. " Et
je n'en suis qu'à la lettre H!... Ni Molière, ni
Rabelais, ni Racine, ni Pascal, ni Stendhal, ni
Voltaire, ni Montaigne, ni tous les autres!... " Il
continuait de glisser lentement le long des livres,
et de temps en temps il laissait échapper un
imperceptible " Ha! ", quand, je suppose, il
lisait un nom auquel il ne songeait pas. " Les
Anglais, reprit-il, on pense aussitôt : Shakes-
peare. Les Italiens : Dante. L'Espagne : Cer-
vantès. Et nous, tout de suite : Gœthe. Après, il
faut chercher. Mais si on dit : et la France?
Alors, qui surgit à l'instant? Molière? Racine?
Hugo? Voltaire? Rabelais? ou quel autre? Ils se
pressent, ils sont comme une foule à l'entrée d'un
théâtre, on ne sait pas qui faire entrer d'abord. "

Il se retourna et dit gravement :

— Mais pour la musique, alors c'est chez

nous : Bach, Haendel, Beethoven, Wagner, Mozart... quel nom vient le premier?

" Et nous nous sommes fait la guerre! " dit-il lentement en remuant la tête. Il revint à la cheminée et ses yeux souriants se posèrent sur le profil de ma nièce. "Mais c'est la dernière! Nous ne nous battrons plus : nous nous marierons! " Ses paupières se plissèrent, les dépressions sous les pommettes se marquèrent de deux longues fossettes, les dents blanches apparurent. Il dit gaiement : "Oui, oui! " Un petit hochement de tête répéta l'affirmation. "Quand nous sommes entrés à Saintes, poursuivit-il après un silence, j'étais heureux que la population nous recevait bien. J'étais très heureux. Je pensais : Ce sera facile. Et puis, j'ai vu que ce n'était pas cela du tout, que c'était la lâcheté. " Il était devenu grave. " J'ai méprisé ces gens. Et j'ai craint pour la France. Je pensais : Est-elle *vraiment* devenue ainsi? " Il secoua la tête : " Non! Non. Je l'ai vu ensuite; et maintenant, je suis heureux de son visage sévère. "

Son regard se porta sur le mien — que je détournai, — il s'attarda un peu en divers points de la pièce, puis retourna sur le visage, impitoyablement insensible, qu'il avait quitté.

— Je suis heureux d'avoir trouvé ici un vieil homme digne. Et une demoiselle silencieuse. Il faudra vaincre ce silence. Il faudra vaincre le silence de la France. Cela me plaît.

Il regardait ma nièce, le pur profil têtu et fermé, en silence et avec une insistance grave, où flottaient encore pourtant les restes d'un sourire. Ma nièce le sentait. Je la voyais légèrement rougir, un pli peu à peu s'inscrire entre ses sourcils. Ses doigts tiraient un peu trop vivement, trop sèchement sur l'aiguille, au risque de rompre le fil.

— Oui, reprit la lente voix bourdonnante, c'est mieux ainsi. Beaucoup mieux. Cela fait des unions solides, — des unions où chacun gagne de la grandeur... Il y a un très joli conte pour les enfants, que j'ai lu, que vous avez lu, que tout le monde a lu. Je ne sais si le titre est le même dans les deux pays. Chez moi il s'appelle : *Das Tier und die Schöne*, — la Belle et la Bête. Pauvre Belle ! La Bête la tient à merci, — impuissante et prisonnière, — elle lui impose à toute heure du jour son implacable et pesante présence... La Belle est fière, digne, — elle s'est faite dure... Mais la Bête vaut mieux qu'elle ne semble. Oh ! elle n'est pas très dégrossie ! Elle est maladroite, brutale, elle paraît bien rustre auprès

de la Belle si fine!... Mais elle a du cœur, oui,
elle a une âme qui aspire à s'élever. Si la Belle
voulait!... La Belle met longtemps à vouloir.
Pourtant, peu à peu, elle découvre au fond des
yeux du geôlier haï une lueur, — un reflet où
peuvent se lire la prière et l'amour. Elle sent
moins la patte pesante, moins les chaînes de sa
prison... Elle cesse de haïr, cette constance la
touche, elle tend la main... Aussitôt la Bête se
transforme, le sortilège qui la maintenait dans ce
pelage barbare est dissipé : c'est maintenant un
chevalier très beau et très pur, délicat et cultivé,
que chaque baiser de la Belle pare de qualités
toujours plus rayonnantes... Leur union déter-
mine un bonheur sublime. Leurs enfants, qui
additionnent et mêlent les dons de leurs parents,
sont les plus beaux que la terre ait portés...

" N'aimiez-vous pas ce conte? Moi je l'aimai
toujours. Je le relisais sans cesse. Il me faisait
pleurer. J'aimais surtout la Bête, parce que je
comprenais sa peine. Encore aujourd'hui, je
suis ému quand j'en parle. "

Il se tut, respira avec force, et s'inclina :

" Je vous souhaite une bonne nuit. "

Un soir, — j'étais monté dans ma chambre pour y chercher du tabac, — j'entendis s'élever le chant de l'harmonium. On jouait ces " VIIIe Prélude et Fugue " que travaillait ma nièce avant la débâcle. Le cahier était resté ouvert à cette page mais, jusqu'à ce soir-là, ma nièce ne s'était pas résolue à de nouveaux exercices. Qu'elle les eût repris souleva en moi du plaisir et de l'étonnement : quelle nécessité intérieure pouvait bien l'avoir soudain décidée?

Ce n'était pas elle. Elle n'avait pas quitté son fauteuil ni son ouvrage. Son regard vint à la rencontre du mien, m'envoya un message que je ne déchiffrai pas. Je considérai le long buste devant l'instrument, la nuque penchée, les mains longues, fines, nerveuses, dont les doigts se déplaçaient sur les touches comme des individus autonomes.

Il joua seulement le Prélude. Il se leva, rejoignit le feu.

— "Rien n'est plus grand que cela", dit-il de sa voix sourde qui ne s'éleva pas beaucoup plus haut qu'un murmure. "Grand?... ce n'est pas même le mot. Hors de l'homme, — hors de sa chair. Cela nous fait comprendre, non : deviner... non : pressentir... pressentir ce qu'est la nature... la nature divine et inconnaissable... la nature... désinvestie... de l'âme humaine. Oui : c'est une musique inhumaine."

Il parut, dans un silence songeur, explorer sa propre pensée. Il se mordillait lentement une lèvre.

— Bach... Il ne pouvait être qu'Allemand. Notre terre a ce caractère : ce caractère inhumain. Je veux dire : pas à la mesure de l'homme.

Un silence, puis :

— Cette musique-là, je l'aime, je l'admire, elle me comble, elle est en moi comme la présence de Dieu mais... Mais ce n'est pas la mienne.

"Je veux faire, moi, une musique à la mesure de l'homme : cela aussi est un chemin pour atteindre la vérité. C'est *mon* chemin. Je n'en voudrais, je n'en pourrais suivre un autre. Cela, maintenant, je le sais. Je le sais tout à fait. Depuis quand? Depuis que je vis ici.

Il nous tourna le dos. Il appuya ses mains au linteau, s'y retint par les doigts et offrit son visage à la flamme entre ses avant-bras, comme à travers les barreaux d'une grille. Sa voix se fit plus sourde et plus bourdonnante :

— Maintenant j'ai besoin de la France. Mais je demande beaucoup : je demande qu'elle m'accueille. Ce n'est rien, être chez elle comme un étranger, — un voyageur ou un conquérant. Elle ne donne rien alors, — car on ne peut rien lui prendre. Sa richesse, sa haute richesse, on ne peut la conquérir. Il faut la boire à son sein, il faut qu'elle vous offre son sein dans un mouvement et un sentiment maternels... Je sais bien que cela dépend de nous... Mais cela dépend d'elle aussi. Il faut qu'elle accepte de comprendre notre soif, et qu'elle accepte de l'étancher... qu'elle accepte de s'unir à nous.

Il se redressa, sans cesser de nous tourner le dos, les doigts toujours accrochés à la pierre.

— Moi, dit-il un peu plus haut, il faudra que je vive ici, longtemps. Dans une maison pareille à celle-ci. Comme le fils d'un village pareil à ce village... Il faudra...

Il se tut. Il se tourna vers nous. Sa bouche

souriait, mais non ses yeux qui regardaient ma nièce.

— Les obstacles seront surmontés, dit-il. La sincérité toujours surmonte les obstacles.

" Je vous souhaite une bonne nuit. "

Je ne puis me rappeler, aujourd'hui, tout ce qui fut dit au cours de plus de cent soirées d'hiver. Mais le thème n'en variait guère. C'était la longue rapsodie de sa découverte de la France : l'amour qu'il en avait de loin, avant de la connaître, et l'amour grandissant chaque jour qu'il éprouvait depuis qu'il avait le bonheur d'y vivre. Et, ma foi, je l'admirais. Oui : qu'il ne se décourageât pas. Et que jamais il ne fût tenté de secouer cet implacable silence par quelque violence de langage... Au contraire, quand parfois il laissait ce silence envahir la pièce et la saturer jusqu'au fond des angles comme un gaz pesant et irrespirable, il semblait bien être celui de nous trois qui s'y trouvait le plus à l'aise. Alors il regardait ma nièce, avec cette expression d'approbation à la fois souriante et grave qui avait été la sienne dès le premier jour. Et moi je sentais l'âme de ma nièce s'agiter dans cette prison qu'elle avait elle-même construite, je le voyais à bien des

signes dont le moindre était un léger tremble-
ment des doigts. Et quand enfin Werner von
Ebrennac dissipait ce silence, doucement et sans
heurt par le filtre de sa bourdonnante voix, il
semblait qu'il me permît de respirer plus libre-
ment.

Il parlait de lui, souvent :

— Ma maison dans la forêt, j'y suis né, j'allais
à l'école du village, de l'autre côté; je ne l'ai
jamais quittée, jusqu'à ce que j'étais à Munich,
pour les examens, et à Salzbourg, pour la musique.
Depuis, j'ai toujours vécu là-bas. Je n'aimais
pas les grandes villes. J'ai connu Londres, Vienne,
Rome, Varsovie, les villes allemandes naturellement. Je n'aime pas pour vivre. J'aimais seulement beaucoup Prague, — aucune autre ville
n'a autant d'âme. Et surtout Nuremberg. Pour
un Allemand, c'est la ville qui dilate son cœur,
parce qu'il retrouve là les fantômes chers à son
cœur, le souvenir dans chaque pierre de ceux
qui firent la noblesse de la vieille Allemagne.
Je crois que les Français doivent éprouver la
même chose, devant la cathédrale de Chartres.
Ils doivent aussi sentir tout contre eux la présence des ancêtres, — la grâce de leur âme, la
grandeur de leur foi, et leur gentillesse. Le destin

m'a conduit sur Chartres. Oh! vraiment quand elle apparaît, par-dessus les blés mûrs, toute bleue de lointain et transparente, immatérielle, c'est une grande émotion! J'imaginais les sentiments de ceux qui venaient jadis à elle, à pied, à cheval ou sur des chariots... Je partageais ces sentiments et j'aimais ces gens, et comme je voudrais être leur frère!

Son visage s'assombrit :

— Cela est dur à entendre sans doute d'un homme qui venait sur Chartres dans une grande voiture blindée... Mais pourtant c'est vrai. Tant de choses remuent ensemble dans l'âme d'un Allemand, même le meilleur! Et dont il aimerait tant qu'on le guérisse... " Il sourit de nouveau, un très léger sourire qui graduellement éclaira tout le visage, puis :

— Il y a dans le château voisin de chez nous, une jeune fille... Elle est très belle et très douce. Mon père toujours se réjouissait si je l'épouserais. Quand il est mort nous étions presque fiancés, on nous permettait de faire de grandes promenades, tous les deux seuls.

Il attendit, pour continuer, que ma nièce eût enfilé de nouveau le fil, qu'elle venait de casser. Elle le faisait avec une grande application, mais le chas était très petit et ce fut difficile. Enfin elle y parvint.

— Un jour, reprit-il, nous étions dans la forêt. Les lapins, les écureuils filaient devant nous. Il y avait toutes sortes de fleurs, — des jonquilles, des jacinthes sauvages, des amaryllis... La jeune fille s'exclamait de joie. Elle dit : " Je suis heureuse, Werner. J'aime, oh! j'aime ces présents de Dieu! " J'étais heureux, moi aussi. Nous nous allongeâmes sur la mousse, au milieu des fougères. Nous ne parlions pas. Nous regardions au-dessus de nous les cimes des sapins se balancer, les oiseaux voler de branche en branche. La jeune fille poussa un petit cri : " Oh! il m'a piquée sur le menton! Sale petite bête, vilain petit moustique! " Puis je lui vis faire un geste vif de la main. " J'en ai attrapé un, Werner! Oh! regardez, je vais le punir : je lui — arrache — les pattes — l'une — après — l'autre... " et elle le faisait...

" Heureusement, continua-t-il, elle avait beaucoup d'autres prétendants. Je n'eus pas de remords. Mais aussi j'étais effrayé pour toujours à l'égard des jeunes filles allemandes. "

Il regarda pensivement l'intérieur de ses mains et dit :

— Ainsi sont aussi chez nous les hommes

politiques. C'est pourquoi je n'ai jamais voulu m'unir à eux, malgré mes camarades qui m'écrivaient : " Venez nous rejoindre. " Non : je préférai rester toujours dans ma maison. Ce n'était pas bon pour le succès de la musique, mais tant pis : le succès est peu de chose, auprès d'une conscience en repos. Et, vraiment, je sais bien que mes amis et notre Führer ont les plus grandes et les plus nobles idées. Mais je sais aussi qu'ils arracheraient aux moustiques les pattes l'une après l'autre. C'est cela qui arrive aux Allemands toujours quand ils sont très seuls : cela remonte toujours. Et qui de plus " seuls " que les hommes du même Parti, quand ils sont les maîtres?

" Heureusement maintenant ils ne sont plus seuls : ils sont en France. La France les guérira. Et je vais vous le dire : ils le savent. Ils savent que la France leur apprendra à être des hommes vraiment grands et purs. "

Il se dirigea vers la porte. Il dit d'une voix retenue, comme pour lui-même :

— Mais pour cela il faut l'amour.

Il tint un moment la porte ouverte; le visage tourné sur l'épaule, il regardait la nuque de ma nièce penchée sur son ouvrage, la nuque frêle et pâle d'où les cheveux s'élevaient en torsades de sombre acajou. Il ajouta, sur un ton de calme résolution :

— Un amour partagé.

Puis il détourna la tête, et la porte se ferma sur lui tandis qu'il prononçait d'une voix rapide les mots quotidiens :

" Je vous souhaite une bonne nuit. "

Les longs jours printaniers arrivaient. L'officier descendait maintenant aux derniers rayons du soleil. Il portait toujours son pantalon de flanelle grise, mais sur le buste une veste plus légère en jersey de laine couleur de bure couvrait une chemise de lin au col ouvert. Il descendit un soir, tenant un livre refermé sur l'index. Son visage s'éclairait de ce demi-sourire contenu, qui préfigure le plaisir escompté d'autrui. Il dit :

— J'ai descendu ceci pour vous. C'est une page de MACBETH. Dieux! Quelle grandeur!

Il ouvrit le livre :

— C'est la fin. La puissance de Macbeth file entre ses doigts, avec l'attachement de ceux qui mesurent enfin la noirceur de son ambition. Les nobles seigneurs qui défendent l'honneur de l'Écosse attendent sa ruine prochaine. L'un d'eux décrit les symptômes dramatiques de cet écroulement...

Et il lut lentement, avec une pesanteur pathétique :

ANGUS

Maintenant il sent ses crimes secrets coller à ses mains. A chaque minute des hommes de cœur révoltés lui reprochent sa mauvaise foi. Ceux qu'il commande obéissent à la crainte et non plus à l'amour. Désormais il voit son titre pendre autour de lui, flottant comme la robe d'un géant sur le nain qui l'a volée.

Il releva la tête et rit. Je me demandais avec stupeur s'il pensait au même tyran que moi. Mais il dit :

— N'est-ce pas là ce qui doit troubler les nuits de votre Amiral? Je plains cet homme, vraiment, malgré le mépris qu'il m'inspire comme à vous. *Ceux qu'il commande obéissent à la crainte et non plus à l'amour.* Un chef qui n'a pas l'amour des siens est un bien misérable mannequin. Seulement... seulement... pouvait-on souhaiter autre chose? Qui donc, sinon un aussi morne ambitieux, eût accepté ce rôle? Or il le fallait. Oui, il fallait quelqu'un qui acceptât de vendre sa patrie parce que, aujourd'hui, — aujourd'hui et pour longtemps, la France ne peut tomber volontairement dans nos bras ouverts sans perdre à ses yeux sa propre dignité. Souvent la plus sordide entre-

metteuse est ainsi à la base de la plus heureuse
alliance. L'entremetteuse n'en est pas moins
méprisable, ni l'alliance moins heureuse.

Il fit claquer le livre en le fermant, l'enfonça
dans la poche de sa veste et d'un mouvement
machinal frappa deux fois cette poche de la
paume de la main. Puis son long visage éclairé
d'une expression heureuse, il dit :

— Je dois prévenir mes hôtes que je serai
absent pour deux semaines. Je me réjouis d'aller
à Paris. C'est maintenant le tour de ma permission et je la passerai à Paris, pour la première
fois. C'est un grand jour pour moi. C'est le plus
grand jour, en attendant un autre que j'espère
avec toute mon âme et qui sera encore un plus
grand jour. Je saurai l'attendre des années, s'il
le faut. Mon cœur a beaucoup de patience.

" A Paris, je suppose que je verrai mes amis,
dont beaucoup sont présents aux négociations
que nous menons avec vos hommes politiques,
pour préparer la merveilleuse union de nos deux
peuples. Ainsi je serai un peu le témoin de ce
mariage... Je veux vous dire que je me réjouis
pour la France, dont les blessures de cette façon
cicatriseront très vite, mais je me réjouis bien
plus encore pour l'Allemagne et pour moi-

même! Jamais personne n'aura profité de sa bonne action, autant que fera l'Allemagne en rendant sa grandeur à la France et sa liberté!

" Je vous souhaite une bonne nuit. "

OTHELLO
*Éteignons cette lumière, pour ensuite
éteindre celle de sa vie.*

Nous ne le vîmes pas quand il revint.

Nous le savions là, parce que la présence d'un hôte dans une maison se révèle par bien des signes, même lorsqu'il reste invisible. Mais pendant de nombreux jours, — beaucoup plus d'une semaine, — nous ne le vîmes pas.

L'avouerai-je? Cette absence ne me laissait pas l'esprit en repos. Je pensais à lui, je ne sais pas jusqu'à quel point je n'éprouvais pas du regret, de l'inquiétude. Ni ma nièce ni moi nous n'en parlâmes. Mais lorsque parfois le soir nous entendions là-haut résonner sourdement les pas inégaux, je voyais bien, à l'application têtue qu'elle mettait soudain à son ouvrage, à quelques lignes légères qui marquaient son visage d'une expression à la fois butée et attentive, qu'elle non plus n'était pas exempte de pensées pareilles aux miennes.

Un jour je dus aller à la Kommandantur, pour une quelconque déclaration de pneus. Tan-

dis que je remplissais le formulaire qu'on m'avait
tendu, Werner von Ebrennac sortit de son
bureau. Il ne me vit pas tout d'abord. Il parlait au
sergent, assis à une petite table devant un haut
miroir au mur. J'entendais sa voix sourde aux
inflexions chantantes et je restais là, bien que je
n'eusse plus rien à y faire, sans savoir pourquoi,
curieusement ému, attendant je ne sais quel
dénouement. Je voyais son visage dans la glace,
il me paraissait pâle et tiré. Ses yeux se levèrent,
ils tombèrent sur les miens, pendant deux secondes
nous nous regardâmes, et brusquement il pivota
sur ses talons et me fit face. Ses lèvres s'entrouvrirent et avec lenteur il leva légèrement une
main, que presque aussitôt il laissa retomber.
Il secoua imperceptiblement la tête avec une
irrésolution pathétique, comme s'il se fût dit :
non, à lui-même, sans pourtant me quitter des
yeux. Puis il esquissa une inclination du buste
en laissant glisser son regard à terre, et il rega-
gna, en clochant, son bureau, où il s'enferma.

De cela je ne dis rien à ma nièce. Mais les
femmes ont une divination de félin. Tout au
long de la soirée elle ne cessa de lever les yeux de
son ouvrage, à chaque minute, pour les porter
sur moi; pour tenter de lire quelque chose sur

un visage que je m'efforçais de tenir impassible, tirant sur ma pipe avec application. A la fin, elle laissa tomber ses mains, comme fatiguée, et, pliant l'étoffe, me demanda la permission de s'aller coucher de bonne heure. Elle passait deux doigts lentement sur son front comme pour chasser une migraine. Elle m'embrassa et il me sembla lire dans ses beaux yeux gris un reproche et une assez pesante tristesse. Après son départ je me sentis soulevé par une absurde colère : la colère d'être absurde et d'avoir une nièce absurde. Qu'est-ce que c'était que toute cette idiotie? Mais je ne pouvais pas me répondre. Si c'était une idiotie, elle semblait bien enracinée.

Ce fut trois jours plus tard que, à peine avions-nous vidé nos tasses, nous entendîmes naître, et cette fois sans conteste approcher, le battement irrégulier des pas familiers. Je me rappelai brusquement ce premier soir d'hiver où ces pas s'étaient fait entendre, six mois plus tôt. Je pensai : " Aujourd'hui aussi il pleut. " Il pleuvait durement depuis le matin. Une pluie régulière et entêtée, qui noyait tout à l'entour et baignait l'intérieur même de la maison d'une atmosphère froide et moite. Ma nièce avait couvert ses épaules d'un carré de soie imprimé où dix mains inquié-

tantes, dessinées par Jean Cocteau, se désignaient
mutuellement avec mollesse; moi je réchauffais
mes doigts sur le fourneau de ma pipe, — et
nous étions en juillet!

Les pas traversèrent l'antichambre et commencèrent de faire gémir les marches. L'homme descendait lentement, avec une lenteur sans cesse
croissante, mais non pas comme un qui hésite :
comme un dont la volonté subit une exténuante
épreuve. Ma nièce avait levé la tête et elle me
regardait, elle attacha sur moi, pendant tout ce
temps, un regard transparent et inhumain de
grand-duc. Et quand la dernière marche eut crié
et qu'un long silence suivit, le regard de ma
nièce s'envola, je vis les paupières s'alourdir, la
tête s'incliner et tout le corps se confier au dossier
du fauteuil avec lassitude.

Je ne crois pas que ce silence ait dépassé quelques secondes. Mais ce furent de longues secondes.
Il me semblait voir l'homme, derrière la porte,
l'index levé prêt à frapper, et retardant, retardant le moment où, par le seul geste de frapper,
il allait engager l'avenir... Enfin il frappa. Et ce
ne fut ni avec la légèreté de l'hésitation, ni la
brusquerie de la timidité vaincue, ce furent trois
coups pleins et lents, les coups assurés et calmes

d'une décision sans retour. Je m'attendais à voir comme autrefois la porte aussitôt s'ouvrir. Mais elle resta close, et alors je fus envahi par une incoercible agitation d'esprit, où se mêlait à l'interrogation l'incertitude des désirs contraires, et que chacune des secondes qui s'écoulaient, me semblait-il, avec une précipitation croissante de cataracte, ne faisait que rendre plus confuse et sans issue. Fallait-il répondre? Pourquoi ce changement? Pourquoi attendait-il que nous rompions ce soir un silence dont il avait montré par son attitude antérieure combien il en approuvait la salutaire ténacité? Quels étaient ce soir, — ce soir, — les commandements de la dignité?

Je regardai ma nièce, pour pêcher dans ses yeux un encouragement ou un signe. Mais je ne trouvai que son profil. Elle regardait le bouton de la porte. Elle le regardait avec cette fixité inhumaine de grand-duc qui m'avait déjà frappé, elle était très pâle et je vis, glissant sur les dents dont apparut une fine ligne blanche, se lever la lèvre supérieure dans une contraction douloureuse; et moi, devant ce drame intime soudain dévoilé et qui dépassait de si haut le tourment bénin de mes tergiversations, je perdis mes dernières forces. A ce moment deux nouveaux coups furent frappés, — deux seulement, deux coups faibles et rapides, — et ma nièce dit : " Il va partir... " d'une voix basse et si complètement découragée que je n'attendis pas davantage et dis d'une voix claire : " Entrez, monsieur. "

Pourquoi ajoutai-je : monsieur? Pour marquer que j'invitais l'homme et non l'officier ennemi? Ou, au contraire, pour montrer que je n'ignorais pas *qui* avait frappé et que c'était bien à celui-là que je m'adressais? Je ne sais. Peu importe. Il subsiste que je dis : entrez, monsieur; et qu'il entra.

J'imaginais le voir paraître en civil et il était en uniforme. Je dirais volontiers qu'il était plus que jamais en uniforme, si l'on comprend par là qu'il m'apparut clairement que, cette tenue, il l'avait endossée dans la ferme intention de nous en imposer la vue. Il avait rabattu la porte sur le mur et il se tenait droit dans l'embrasure, si droit et si raide que j'en étais presque à douter si j'avais devant moi le même homme et que, pour la première fois, je pris garde à sa ressemblance surprenante avec l'acteur Louis Jouvet. Il resta ainsi quelques secondes droit, raide et silencieux, les pieds légèrement écartés et les bras tombant sans expression le long du corps, et le visage si froid, si parfaitement impassible, qu'il ne semblait pas que le moindre sentiment pût l'habiter.

Mais moi qui étais assis dans mon fauteuil profond et avais le visage à hauteur de sa main gauche, je voyais cette main, mes yeux furent saisis par cette main et y demeurèrent comme enchaînés, à cause du spectacle pathétique qu'elle me donnait et qui démentait pathétiquement toute l'attitude de l'homme...

J'appris ce jour-là qu'une main peut, pour qui sait l'observer, refléter les émotions aussi bien qu'un visage, — aussi bien et mieux qu'un visage car elle échappe davantage au contrôle de la volonté. Et les doigts de cette main-là se tendaient et se pliaient, se pressaient et s'accrochaient, se livraient à la plus intense mimique tandis que le visage et tout le corps demeuraient immobiles et compassés.

Puis les yeux parurent revivre, ils se portèrent un instant sur moi, — il me sembla être guetté par un faucon, — des yeux luisants entre les paupières écartées et raides, les paupières à la fois fripées et raides d'un être tenu par l'insomnie. Ensuite ils se posèrent sur ma nièce — et ils ne la quittèrent plus.

La main enfin s'immobilisa, tous les doigts

repliés et crispés dans la paume, la bouche s'ouvrit (les lèvres en se séparant firent : " Pp... "
comme le goulot débouché d'une bouteille vide),
et l'officier dit, — sa voix était plus sourde que
jamais :

— Je dois vous adresser des paroles graves.

Ma nièce lui faisait face, mais elle baissait la
tête. Elle enroulait autour de ses doigts la laine
d'une pelote, tandis que la pelote se défaisait en
roulant sur le tapis; ce travail absurde était le
seul sans doute qui pût encore s'accorder à son
attention abolie, — et lui épargner la honte.

L'officier reprit, — l'effort était si visible qu'il
semblait que ce fût au prix de sa vie :

— Tout ce que j'ai dit ces six mois, tout ce
que les murs de cette pièce ont entendu... " — il
respira, avec un effort d'asthmatique, garda un
instant la poitrine gonflée... " il faut... " Il respira : " il faut l'oublier ".

La jeune fille lentement laissa tomber ses
mains au creux de sa jupe, où elles demeurèrent
penchées et inertes comme des barques échouées
sur le sable, et lentement elle leva la tête, et alors,
pour la première fois, — pour la première fois —
elle offrit à l'officier le regard de ses yeux pâles.

Il dit (à peine si je l'entendis) : *Oh welch'ein*

Licht!, pas même un murmure; et comme si en effet ses yeux n'eussent pas pu supporter cette lumière, il les cacha derrière son poignet. Deux secondes; puis il laissa retomber sa main, mais il avait baissé les paupières et ce fut à lui désormais dè tenir ses regards à terre...

Ses lèvres firent : " Pp... " et il prononça, — la voix était sourde, sourde, sourde :

— J'ai vu ces hommes victorieux.

Puis, après quelques secondes, d'une voix plus basse encore :

— Je leur ai parlé. " Et enfin dans un murmure, avec une lenteur amère :

— Ils ont ri de moi.

Il leva les yeux sur ma personne et avec gravité hocha trois fois imperceptiblement la tête. Les yeux se fermèrent, puis :

— Ils ont dit : " Vous n'avez pas compris que nous les bernons? " Ils ont dit cela. Exactement. *Wir prellen sie.* Ils ont dit : " Vous ne supposez pas que nous allons sottement laisser la France se relever à notre frontière? Non? " Ils rirent très fort. Ils me frappaient joyeusement le dos en regardant ma figure : " Nous ne sommes pas des musiciens! "

Sa voix marquait, en prononçant ces derniers

mots, un obscur mépris, dont je ne sais s'il reflé-
tait ses propres sentiments à l'égard des autres,
ou le ton même des paroles de ceux-ci.

— Alors j'ai parlé longtemps, avec beaucoup
de véhémence. Ils faisaient : " Tŝt! Tŝt! " Ils
ont dit : " La politique n'eŝt pas un rêve de poète.
Pourquoi supposez-vous que nous avons fait la
guerre? Pour leur vieux Maréchal? " Ils ont
encore ri : " Nous ne sommes pas des fous ni
des niais : nous avons l'occasion de détruire la
France, elle le sera. Pas seulement sa puissance :
son âme aussi. Son âme surtout. Son âme eŝt le
plus grand danger. C'eŝt notre travail en ce moment : ne vous y trompez pas, mon cher! Nous
la pourrirons par nos sourires et nos ménage-
ments. Nous en ferons une chienne rampante. "

Il se tut. Il semblait essoufflé. Il serrait les
mâchoires avec une telle énergie que je voyais
saillir les pommettes, et une veine, épaisse et
tortueuse comme un ver, battre sous la tempe.
Soudain toute la peau de son visage remua, dans
une sorte de frémissement souterrain, — comme
fait un coup de brise sur un lac; comme, aux
premières bulles, la pellicule de crème durcie à
la surface d'un lait qu'on fait bouillir. Et ses
yeux s'accrochèrent aux yeux pâles et dilatés de

ma nièce, et il dit, sur un ton bas, uniforme, intense et oppressé, avec une lenteur accablée :

— Il n'y a pas d'espoir. " Et d'une voix plus sourde encore et plus basse, et plus lente, comme pour se torturer lui-même de cette intolérable constatation : " Pas d'espoir. Pas d'espoir. " Et soudain, d'une voix inopinément haute et forte, et à ma surprise claire et timbrée, comme un coup de clairon, — comme un cri : " Pas d'espoir! "

Ensuite, le silence.

Je crus l'entendre rire. Son front, bourrelé et fripé, ressemblait à un grelin d'amarre. Ses lèvres tremblèrent, — des lèvres de malade à la fois fiévreuses et pâles.

— Ils m'ont blâmé, avec un peu de colère : " Vous voyez bien! Vous voyez combien vous l'aimez! Voilà le grand Péril! Mais nous guérirons l'Europe de cette peste! Nous la purgerons de ce poison! " Ils m'ont tout expliqué, oh! ils ne m'ont rien laissé ignorer. Ils flattent vos écrivains, mais en même temps, en Belgique, en Hollande, dans tous les pays qu'occupent nos troupes, ils font déjà le barrage. Aucun livre français ne peut plus passer, — sauf les publications techniques, manuels de dioptrique ou formulaires de cémentation... Mais les ouvrages de culture générale, aucun. Rien!

Son regard passa par-dessus ma tête, volant et se cognant aux coins de la pièce comme un oiseau de nuit égaré. Enfin il sembla trouver refuge sur les rayons les plus sombres, — ceux où s'alignent Racine, Ronsard, Rousseau. Ses yeux restèrent accrochés là et sa voix reprit, avec une violence gémissante :

— Rien, rien, personne! " Et comme si nous n'avions pas compris encore, pas mesuré l'énormité de la menace : " Pas seulement vos modernes! Pas seulement vos Péguy, vos Proust, vos Bergson... Mais tous les autres! Tous ceux-là! Tous! Tous! Tous! "

Son regard encore une fois balaya les reliures doucement luisant dans la pénombre, comme pour une caresse désespérée.

— Ils éteindront la flamme tout à fait! criat-il. L'Europe ne sera plus éclairée par cette lumière!

Et sa voix creuse et grave fit vibrer jusqu'au fond de ma poitrine, inattendu et saisissant, le cri dont l'ultime syllabe traînait comme une frémissante plainte :

— Nevermore!

Le silence tomba une fois de plus. Une fois de plus, mais, cette fois, combien plus obscur et tendu! Certes, sous les silences d'antan, — comme, sous la calme surface des eaux, la mêlée des bêtes dans la mer, — je sentais bien grouiller la vie sous-marine des sentiments cachés, des désirs et des pensées qui se nient et qui luttent. Mais sous celui-ci, ah! rien qu'une affreuse oppression...

La voix brisa enfin ce silence. Elle était douce et malheureuse.

— J'avais un ami. C'était mon frère. Nous avions étudié de compagnie. Nous habitions la même chambre à Stuttgart. Nous avions passé trois mois ensemble à Nuremberg. Nous ne faisions rien l'un sans l'autre : je jouais devant lui ma musique; il me lisait ses poèmes. Il était sensible et romantique. Mais il me quitta. Il alla lire ses poèmes à Munich, devant de nouveaux compagnons. C'est lui qui m'écrivait sans cesse de venir les retrouver. C'est lui que j'ai vu à Paris avec ses amis. J'ai vu ce qu'ils ont fait de lui!

Il remua lentement la tête, comme s'il eût dû opposer un refus douloureux à quelque supplication.

— Il était le plus enragé! Il mélangeait la

colère et le rire. Tantôt il me regardait avec
flamme et criait : " C'est un venin! Il faut vider
la bête de son venin! " Tantôt il donnait dans
mon estomac des petits coups du bout de son
index : " Ils ont la grande peur maintenant, ah!
ah! ils craignent pour leurs poches et pour leur
ventre, — pour leur industrie et leur commerce!
Ils ne pensent qu'à ça! Les rares autres, nous
les flattons et les endormons, ah! ah!... Ce sera
facile! " Il riait et sa figure devenait toute rose :
" Nous échangeons leur âme contre un plat de
lentilles! "

Werner respira :

— J'ai dit : " Avez-vous mesuré ce que vous
faites? L'avez-vous MESURÉ? " Il a dit :
" Attendez-vous que cela nous intimide? Notre
lucidité est d'une autre trempe! " J'ai dit : " Alors
vous scellerez ce tombeau? — à jamais? " Il a
dit : " C'est la vie ou la mort. Pour conquérir
suffit la Force : pas pour dominer. Nous savons
très bien qu'une armée n'est rien pour dominer. "
— " Mais au prix de l'Esprit! criai-je. Pas à ce
prix! " — " L'Esprit ne meurt jamais, dit-il.
Il en a vu d'autres. Il renaît de ses cendres. Nous
devons bâtir pour dans mille ans : d'abord il
faut détruire " Je le regardais. Je regardais au

fond de ses yeux clairs. Il était sincère, oui. C'est
ça le plus terrible.

Ses yeux s'ouvrirent très grands, — comme sur
le spectacle de quelque abominable meurtre :

— Ils feront ce qu'ils disent! " s'écria-t-il
comme si nous n'avions pas dû le croire. " Avec
méthode et persévérance! Je connais ces diables
acharnés! "

Il secoua la tête, comme un chien qui souffre
d'une oreille. Un murmure passa entre ses dents
serrées, le " oh " gémissant et violent de l'amant
trahi.

Il n'avait pas bougé. Il était toujours immobile, raide et droit dans l'embrasure de la porte,
les bras allongés comme s'ils eussent eu à porter
des mains de plomb; et pâle, — non pas comme
de la cire, mais comme le plâtre de certains murs
délabrés : gris, avec des taches plus blanches de
salpêtre.

Je le vis lentement incliner le buste. Il leva une
main. Il la projeta, la paume en dessous, les
doigts un peu pliés, vers ma nièce, vers moi. Il
la contracta, il l'agita un peu tandis que l'expression de son visage se tendait avec une sorte
d'énergie farouche. Ses lèvres s'entrouvrirent, et
je crus qu'il allait nous lancer je ne sais quelle

exhortation : je crus, — oui, je crus qu'il allait nous encourager à la révolte. Mais pas un mot ne franchit ses lèvres. Sa bouche se ferma, et encore une fois ses yeux. Il se redressa. Ses mains montèrent le long du corps, se livrèrent à la hauteur du visage à un incompréhensible manège, qui ressemblait à certaines figures des danses religieuses de Java. Puis il se prit les tempes et le front, écrasant ses paupières sous les petits doigts allongés.

— Ils m'ont dit : " C'est notre droit et notre devoir. " Notre devoir! Heureux celui qui trouve avec une aussi simple certitude la route de son devoir!

Ses mains retombèrent.

— Au carrefour, on vous dit : " Prenez cette route-là. " Il secoua la tête. " Or, cette route, on ne la voit pas s'élever vers les hauteurs lumineuses des cimes, on la voit descendre vers une vallée sinistre, s'enfoncer dans les ténèbres fétides d'une lugubre forêt!... O Dieu! Montrez-moi où est MON devoir! "

Il dit, — il cria presque :

— C'est le Combat, — le Grand Bataille du Temporel contre le Spirituel!

Il regardait, avec une fixité lamentable l'ange

de bois sculpté au-dessus de la fenêtre, l'ange
extatique et souriant, lumineux de tranquillité
céleste.

Soudain son expression sembla se détendre. Le
corps perdit de sa raideur. Son visage s'inclina
un peu vers le sol. Il le releva :

— J'ai fait valoir mes droits, dit-il avec naturel. J'ai demandé à rejoindre une division en
campagne. Cette faveur m'a été enfin accordée :
demain, je suis autorisé à me mettre en route.

Je crus voir flotter sur ses lèvres un fantôme
de sourire quand il précisa :

— Pour l'enfer.

Son bras se leva vers l'Orient, — vers ces
plaines immenses où le blé futur sera nourri de
cadavres.

Je pensai : "Ainsi il se soumet. Voilà donc
tout ce qu'ils savent faire. Ils se soumettent tous.
Même cet homme-là."

Le visage de ma nièce me fit peine. Il était
d'une pâleur lunaire. Les lèvres, pareilles aux
bords d'un vase d'opaline, étaient disjointes, elles
esquissaient la moue tragique des masques grecs.
Et je vis, à la limite du front et de la chevelure,
non pas naître, mais jaillir, — oui, jaillir, —
des perles de sueur.

Je ne sais si Werner von Ebrennac le vit. Ses pupilles, celles de la jeune fille, amarrées comme, dans le courant, la barque à l'anneau de la rive, semblaient l'être par un fil si tendu, si raide, qu'on n'eût pas osé passer un doigt entre leurs yeux. Ebrennac d'une main avait saisi le bouton de la porte. De l'autre, il tenait le chambranle. Sans bouger son regard d'une ligne, il tira lentement la porte à lui. Il dit, — sa voix était étrangement dénuée d'expression :

— Je vous souhaite une bonne nuit.

Je crus qu'il allait fermer la porte et partir. Mais non. Il regardait ma nièce. Il la regardait. Il dit, — il murmura :

— Adieu.

Il ne bougea pas. Il restait tout à fait immobile, et dans son visage immobile et tendu, les yeux étaient plus encore immobiles et tendus, attachés aux yeux, — trop ouverts, trop pâles, — de ma nièce. Cela dura, dura, — combien de temps? — dura jusqu'à ce qu'enfin, la jeune fille remuât les lèvres. Les yeux de Werner brillèrent.

J'entendis :

— Adieu.

Il fallait avoir guetté ce mot pour l'entendre,

mais enfin je l'entendis. Von Ebrennac aussi l'entendit, et il se redressa, et son visage et tout son corps semblèrent s'assoupir comme après un bain reposant.

Et il sourit, de sorte que la dernière image que j'eus de lui fut une image souriante. Et la porte se ferma et ses pas s'évanouirent au fond de la maison.

Il était parti quand, le lendemain, je descendis prendre ma tasse de lait matinale. Ma nièce avait préparé le déjeuner, comme chaque jour. Elle me servit en silence. Nous bûmes en silence. Dehors luisait au travers de la brume un pâle soleil. Il me sembla qu'il faisait très froid.

Octobre 1941.

CE JOUR-LÀ

Le petit garçon mit sa petite main dans celle de son père sans s'étonner. Pourtant il y avait longtemps, pensait-il. On sortit du jardin. Maman avait mis un pot de géranium à la fenêtre de la cuisine, comme chaque fois que papa sortait. C'était un peu drôle.

Il faisait beau, — il y avait des nuages, mais informes et tout effilochés, on n'avait pas envie de les regarder. Alors le petit garçon regardait le bout de ses petits souliers qui chassaient devant eux les graviers de la route. Papa ne disait rien. D'habitude il se fâchait quand il entendait ce bruit-là. Il disait : " Lève tes pieds! " et le petit garçon levait les pieds, un moment, et puis sournoisement il recommençait petit à petit à les traîner, un peu exprès, il ne savait pas pourquoi. Mais cette fois papa ne dit rien, et le petit garçon cessa de traîner ses semelles. Il continuait de regarder par terre : ça l'inquiétait que papa ne dît rien.

La route s'engageait sous les arbres. La plupart étaient encore sans feuilles. Quelques-uns verdoyaient un peu, des petites feuilles d'un vert très propre et très clair. On se demandait même si elles n'étaient pas un peu sucrées. Plus loin la route tournait, on verrait la Grande Vue, sur le Grésivaudan, le grand rocher qui tombe à pic, et là-dessous tout en bas les tout petits arbres, les toutes petites maisons, les routes comme des égratignures, l'Isère qui serpente sous une brume légère, légère. On s'arrêterait et on regarderait. Papa dirait : " Regarde le petit train ", ou bien : " Tu vois la petite tache noire, là, qui bouge sur la route? C'est une auto. Il y a des gens dedans. Quatre personnes, une dame avec un petit chien, et un monsieur avec une grande barbe. " Le petit garçon dirait : " Comment que tu les vois? " — " Je me suis fais greffer une petite lunette dans l'œil gauche, tu sais bien, dirait papa. Regarde, dirait-il en écarquillant son œil, tu ne la vois pas? " Et lui, comme il n'est pas très sûr que ce soit vrai ou pas vrai : " Ben... pas très bien... " Peut-être qu'à ce moment-là papa rirait et le prendrait sur ses épaules, une jambe de chaque côté.

Mais papa regarda distraitement la Grande

Vue et ne s'arrêta même pas. Il tenait la petite
main de son petit garçon bien serrée dans la
sienne. De sorte que quand un peu plus loin on
passa près de l'endroit où le bord du fossé monte
et descend, le petit garçon ne put pas lâcher son
père pour grimper la petite pente en disant :
" Regarde, papa, je grandis... je grandis... je grandis... Regarde, je suis plus grand que toi... et
maintenant je rapetisse... je rapetisse... je rapetisse... " Ça l'ennuya un peu, parce qu'il était très
attaché aux rites. Ça faisait une promenade qui ne
ressemblait pas tout à fait aux autres.

Un peu plus loin il y avait le rocher de pierre
carrée. On s'y asseyait d'habitude. Il se demanda
si cette fois-ci on s'assiérait. Le rocher de pierre
carrée s'approchait et le petit garçon se demandait
si on s'assiérait. Il avait un peu peur qu'on se n'as-
sît pas. Un petit peu peur, vraiment, de la vraie
peur. Il tira doucement sur la main de son père
quand ils furent tout près.

Heureusement papa se laissa tirer et ils s'assi-
rent. Ils ne dirent rien, mais souvent, assis sur
cette pierre, papa ne disait rien. Quelquefois seulement (quand il faisait très chaud) : " Ouf ! ça
fait du bien. " Aujourd'hui il ne faisait pas très
chaud. La seule chose pas naturelle c'était que

papa ne quittait toujours pas la petite main. D'habitude, ici, papa la lâchait, sa main, et le petit garçon, qui n'aimait pas rester assis bien longtemps, grimpait sous les arbres et cherchait des pommes de pin. Quelquefois des fraises, mais il n'y avait pas souvent des fraises.

Ils restaient assis et le petit garçon ne bougeait pas du tout. Il faisait même attention à ne pas balancer les jambes. Pourquoi? Savait pas, c'était parce que papa lui tenait la main comme ça. Il ne pouvait même pas — il ne voulait même pas penser aux pommes de pin, aux fraises. D'ailleurs, il n'y avait sûrement pas de fraises et puis, les pommes de pin, ce n'est pas tellement amusant.

Mais, de ne pas bouger, il eut de nouveau un peu peur. Oh! pas beaucoup, un peu seulement, un tout petit peu, comme quand on est couché et qu'on entend craquer des choses dans le noir, mais qu'on entend aussi papa et maman qui parlent dans leur chambre. Il était content que papa lui tînt la main, parce qu'ainsi on a moins peur, mais comme il avait peur justement parce que papa lui tenait la main... alors le petit garçon, pour la première fois pendant une de ces promenades, aurait bien voulu revenir à la maison.

Comme si son père l'avait entendu il se leva, le petit garçon se leva, se demandant si l'on rentrerait ou si l'on irait comme les autres fois jusqu'au petit pont, sur la Grisonne. Il ne savait pas très bien ce qu'il préférait. On partit vers le petit pont, alors, tant mieux.

Sur le pont ils regardèrent le torrent (papa disait le ru) filer en gargouillant entre les pierres qui ressemblent à de grosses dragées. Un jour papa lui avait rapporté un petit sac rempli de toutes petites pierres comme ça et c'étaient des bonbons. Il y avait très longtemps, c'était même avant Noël, il ne se rappelait même plus bien. En tout cas depuis ce temps-là il n'avait jamais eu de bonbons, et il aimait énormément regarder les pierres du torrent, on aurait dit que ça lui faisait plaisir aux yeux comme les bonbons à la langue.

Papa dit :

— Depuis le temps que cette eau coule...

Le petit garçon trouva ça drôle. Bien sûr qu'elle coulait depuis longtemps. Elle coulait déjà la première fois qu'ils étaient venus. D'ailleurs on n'aurait pas fait un pont s'il n'y avait pas eu d'eau.

— Et quand ton petit garçon à toi, dit papa,

aura une grande barbe blanche, elle coulera encore.
Elle ne s'arrêtera jamais de couler, dit papa en
regardant l'eau. C'est une pensée reposante, dit
encore papa, mais, ça se voyait, ce n'était pas pour
son petit garçon, c'était pour lui-même.

Ils restèrent très, très longtemps à regarder
l'eau, et puis enfin on s'en retourna. On prit le
chemin du hérisson, le petit garçon l'appelait
comme ça depuis qu'ils y avaient trouvé un hérisson. Ça grimpait un peu. On passait devant la
fontaine de bois, celle où, dans une auge faite
d'une bille de chêne creusée, tombe le filet d'une
eau si limpide, au chant d'un cristal si pur, qu'elle
donne soif rien qu'à la regarder. Mais il ne faisait pas très chaud.

Tout en haut le sentier tournait un peu, et
redescendait de l'autre côté de la colline. De tout
en haut on verrait la maison. On la voyait très
bien. Ce qu'on voyait le mieux c'était la fenêtre de
la cuisine, avec le pot de géranium tout vert et
orange dans le soleil, et maman était derrière
mais on ne la voyait pas.

Mais papa devait être fatigué, parce qu'avant
d'arriver en haut, il s'assit. D'ordinaire on ne s'asseyait jamais sur ce tronc d'arbre. Il s'assit et
attira son petit garçon entre ses genoux. Il dit :

"Tu n'es pas fatigué? " — " Non ", dit le petit garçon. Papa souriait, mais c'était d'un seul côté de la bouche. Il lui caressait les cheveux, la joue. Il respira très fort et dit : " Il faut être très, très sage avec ta maman ", et le petit garçon fit oui de la tête, mais il ne trouva rien à dire. " Un bon petit garçon ", dit encore papa, et il se leva. Il prit son petit garçon sous les aisselles et il le souleva jusqu'à son visage et l'embrassa deux fois sur les deux joues, et il le remit par terre et dit d'une voix ferme : " Allons ". Ils se remirent en route. Ils arrivèrent en haut et on vit le mur du jardin, les deux mélèzes, la maison, la fenêtre de la cuisine.

Le pot de géranium... il n'y était plus.

Le petit garçon vit tout de suite que le pot de géranium n'était plus à la fenêtre de la cuisine. Papa aussi, sûrement. Parce qu'il s'arrêta en serrant la petite main dans la sienne, plus fort que jamais, et il dit : " Ça y est, je m'en doutais. "

Il restait immobile, à regarder, regarder, en répétant : " Bons dieux, comment ai-je pu... puisque je le savais, puisque je le savais... "

Le petit garçon aurait bien voulu demander quoi, mais il ne pouvait pas parce que papa lui serrait la main si fort. Et il commença d'avoir mal au cœur, comme le jour où il avait mangé trop de purée de marrons.

Alors papa dit : " Viens ", et au lieu de descendre ils retournèrent sur leurs pas, en marchant très vite. " Où est-ce qu'on va, papa? Où est-ce qu'on va? " disait le petit garçon, et il avait mal au cœur comme le jour de la purée de marrons.

— Chez madame Bufferand ", dit papa. Il avait une drôle de voix, une voix comme celle du facteur le jour où une auto l'avait poussé et qu'il était tombé de bicyclette. "Elle est très gentille, dit papa, tu la connais, tu coucheras chez elle. "

Le petit garçon aurait bien voulu demander pourquoi, mais papa lui serrait la main trop fort, il n'arrivait pas à le demander. Était-ce à cause de ça, il avait de plus en plus mal au cœur. Tellement qu'il aurait voulu se coucher par terre, comme le jour de la purée de marrons, mais papa lui serrait la main tellement fort, et pourtant on allait trop vite, et maintenant il avait mal au cœur pas seulement au cœur, mais mal au cœur partout, au ventre, dans les jambes, si ce n'était pas bête de dire qu'on a mal au cœur dans les jambes.

Quand madame Bufferand, qui était très vieille et toute ridée, les vit tous les deux, elle croisa ses mains sur la poitrine et dit : " Mon Dieu!... "

Papa dit : " Oui, voilà ", et ils entrèrent. Et alors quand ils furent dans le petit salon qui sentait la cannelle le petit garçon ne résista plus et il se coucha sur le tapis.

Il n'entendit plus très bien ce qu'on disait. Il faisait trop noir pour pouvoir écouter. Madame Bufferand parlait, parlait, d'une petite voix cassée, il l'entendait comme dans un rêve.

Papa souleva le petit garçon et le porta sur un lit. Il lui caressa les cheveux, longtemps, et il l'embrassa très fort et longtemps, plus fort et plus longtemps que le soir d'habitude. Et puis madame Bufferand lui donna une valise, et il embrassa madame Bufferand, et il sortit. Et madame Bufferand vint s'occuper du petit garçon, elle lui mit un mouchoir mouillé sur la tête, elle lui prépara de la camomille. Il vit bien qu'elle pleurait, elle essuyait ses larmes au fur et à mesure, mais ça se voyait quand même.

*
* *

Le lendemain, il était en train de jouer avec les cubes, il entendit madame Bufferand qui parlait dans la salle à manger. Les cubes devaient représenter le portrait d'un monsieur avec une

collerette et un chapeau à plume. Il manquait
encore l'œil et le chapeau. Le petit garçon se leva
et mit son oreille contre le trou de la serrure, qui
était juste à sa hauteur en se hissant sur la pointe
des pieds. Il n'entendait pas très bien parce que
les dames ne parlaient pas tout haut, elle chu-
chotaient. Madame Bufferand parlait de la gare.
Oui, disait-elle, oui, lui aussi : il cherchait à apercevoir sa femme dans un compartiment, ils l'ont
reconnu. Grands dieux, dit l'autre dame, il
n'avait donc pas pu s'empêcher... Non, dit madame Bufferand, il n'a pas pu, qui donc aurait
pu? Il disait tout le temps " c'est ma faute, c'est
ma faute! " Et puis on parla de lui, le petit garçon. Heureusement, disait la dame, heureusement que madame Bufferand était là. Madame
Bufferand répondit des mots, mais quelque chose
mouillait son chuchotement et on ne pouvait pas
comprendre.

Le petit garçon retourna vers son jeu de cubes.
Il s'assit par terre et chercha celui avec un œil. Il
pleurait silencieusement, les larmes coulaient et il
ne pouvait pas les retenir. Il trouva le cube avec
l'œil et le mit à sa place. Le chapeau c'était plus
facile. Il reniflait en essayant de ne pas faire de
bruit, une des larmes coula au coin de la bouche,

il la cueillit d'un coup de langue, elle était salée.
La plume, c'était le plus ennuyeux, on ne savait
jamais si elle était à l'endroit ou à l'envers. Une
larme, tombée sur la plume, glissa, hésita, y resta
suspendue comme une goutte de rosée.

LE SONGE

Est-ce que cela ne vous a jamais tourmenté ?
Quand, dans les jours heureux, allongé au soleil
sur le sable chaud, ou bien devant un chapon
qu'arrosait un solide bourgogne, ou encore
dans l'animation d'une de ces palabres stimu-
lantes et libres autour d'un " noir " fleurant le
bon café, il vous arrivait de penser que ces simples
joies n'étaient pas choses si naturelles. Et que
vous vous obligiez à penser à des populations
aux Indes ou ailleurs, mourant du choléra. Ou
à des Chinois du Centre succombant à la famine
par villages ; ou à d'autres que les Nippons mas-
sacraient, ou torturaient, pour les envoyer finir
leurs jours dans le foyer d'une locomotive.

Est-ce que cela ne vous tourmentait pas, de ne
pouvoir leur donner plus qu'une pensée — était-
ce même une pensée ? Était-ce plus qu'une imagination vague ? Fantasmagorie bien moins consis-
tante que cette douce chaleur du soleil, le parfum
du bourgogne, l'excitation de la controverse. Et
pourtant cela existait quelque part, vous le saviez,

vous en aviez même des preuves : des récits indu-
bitables, des photographies. Vous le saviez et il
vous arrivait de faire des efforts pour ressentir
quelque chose de plus qu'une révolte cérébrale,
des efforts pour " partager ". Ils étaient vains.
Vous vous sentiez enfermé dans votre peau
comme dans un wagon plombé. Impossible d'en
sortir.

Cela vous tourmentait parfois et vous vous
cherchiez des excuses. " Trop loin ", pensiez-
vous. Que seulement ces choses se fussent passées
en Europe! Elles y sont venues : d'abord en
Espagne, à nos frontières. Et elles ont occupé
votre esprit davantage. Votre cœur aussi. Mais
quant à " ressentir ", quant à " partager "... Le
parfum de votre chocolat, le matin, le goût du
croissant frais, comme ils avaient plus de présence...

Vous vous êtes replié sur la France, sur Paris,
un peu comme on dit : nous nous battrons sur la
Marne, sur la Seine, sur la Loire... Bientôt ce
furent vos propres amis dont chaque jour vous
apprenait l'emprisonnement, la déportation ou la
mort... Vous ressentiez cruellement ces coups.
Mais quoi de plus? Vous restiez enfermé, à double
tour, dans votre wagon sans fenêtre. Et le soleil

dans la rue, la tiédeur d'une alcôve, le maigre jambon du marché noir continuaient d'avoir pour vous une présence autrement réelle que des cris d'agonie de ceux dont quelque part on brûlait les pieds et les mains.

Pourtant, cette sordide solitude, il m'est arrivé d'en sortir. L'imagination, impuissante à l'état de veille, prend dans le sommeil un miraculeux pouvoir. L'imagination? Voire. Appelons-la comme ça, si vous voulez. J'ai d'autres idées là-dessus. J'ai vu en songe des choses étranges, que ni l'imagination, ni la vie inconsciente ne peuvent expliquer. Des choses qui se passaient, tandis que je les rêvais, à des milles de là. Pas de preuve, naturellement, il n'y a jamais de preuves en pareille matière. Mais ce que j'ai vécu, en certaines circonstances du sommeil, est pour moi la preuve très suffisante de l'existence d'une vaste conscience diffuse, d'une sorte de conscience universelle et flottante, à laquelle il nous arrive·de participer dans le sommeil, par certaines nuits favorisées. Ces nuits-là, nous sortons vraiment du wagon plombé, nous pouvons voir enfin par-delà le talus...

**

Une de ces nuits, je marchais par une campagne dénudée. Je marchais avec peine. Le ciel était excessivement bas, et pendait par morceaux, par langues de gaze déchiquetées, qui traînaient sur le sol et s'accrochaient aux ronces. Je cherchais mon chemin parmi elles, évitant de les traverser car outre que j'étais aussitôt perdu dans un brouillard opaque, l'épaisseur s'en faisait sentir encore par une lourde résistance. Je devais les pousser devant moi, les soulever comme de pesants rideaux de damas blafards. Je m'épuisais et n'avançais guère. La terre était noire. Elle était humide et spongieuse. Les pas s'y marquaient, par une légère cuvette d'abord, qui s'emplissait bientôt d'une eau fuligineuse où nageaient des débris de mousse calcinée et de bois pourri. Il flottait une odeur étrange, qui n'était pas celle de l'humus ou de la corruption, une odeur composite qui fleurait le pus et la sueur. Elle m'écœurait et m'angoissait. Je marchais avec peine et commençais à retrouver mes propres traces. Allais-je donc en rond? Je tentai de m'écarter, de suivre une direction droite. Mais toujours je retrouvais mes traces, de plus en plus pressées. Bientôt je piétinai une boue noire et

glacée où les traces s'entremêlaient comme si des
milliers d'hommes les eussent faites.

Pourtant j'étais seul. Il me semblait traîner derrière moi une solitude séculaire. Tout ce que
j'avais qui la brisât peut-être, c'était un souvenir :
avant d'être là, j'avais dû traverser une rivière,
sans doute. Et deux cygnes, deux cygnes noirs
s'étaient, je crois, levés à mon approche. Je me
souvenais mal, mais je me souvenais de leur immense forme d'ombre, tandis qu'ils passaient par-
dessus ma tête. Je me rappelais le bruit de leur
vol, celui du vent dans leurs plumes, et ce souffle
glacé sur mon front. Ce souvenir aussi m'angoissait.

Je ne sais quand je pris conscience de n'être
plus seul. On marchait devant moi. Je voulais
aller plus vite, rattraper cette forme fuyante. Je
ne la voyais jamais nettement, il y avait sans cesse
entre nous une langue de brume ou une autre.
Par moments, tout s'effaçait, laissant dans mon
cœur un vide atroce. Puis je l'apercevais de nouveau, un peu dansante et dégingandée, grisâtre et
silencieuse.

Assez soudainement elle fut à mon côté. Elle
marchait près de moi, du même pas que moi,
mollement et sans bruit. Je constatai que c'était

le corps d'un homme, affreusement maigre. Son visage était pâle et carré, il souriait bizarrement. Son bras tendit devant moi une longue main osseuse, comme pour me désigner quelque chose.

— Je ne vois pas, dis-je.

Je ne parlais pas à un inconnu. Je veux dire que ce n'était pas un inconnu pour moi, à ce moment-là. Nous nous connaissions très bien et toutes sortes de souvenirs communs nous liaient. Je lui demandai donc :

— Que me montrez-vous ? Je ne vois rien.

Il ne répondit point mais secoua sa main décharnée, l'index étendu, avec un peu d'impatience.

— Mais répondez donc, m'écriai-je.

Alors il tourna vers moi son étrange face souriante, lunaire et ravagée. Il ouvrit la bouche et je vis l'horrible langue tordue, racornie, noire et déchirée, qui s'enroulait comme un escargot cuit. Et je me rappelai qu'en effet on la lui avait brûlée au fer rouge. Je la voyais trembler comme celle d'un jars qui veut mordre. Ce suprême effort pour parler était pathétique et intolérable. Il m'emplit d'une sorte de dégoût que ne pouvaient surmonter ni la pitié ni la colère. Je me détournai et voulus prendre à témoin deux autres formes humaines qui lentement passaient à ma gauche, mais l'aspect de ces hommes me coupa le souffle. Ils étaient si décharnés que je ne pus comprendre où ils trouvaient la force de soutenir la charge qu'ils transportaient : un énorme fer en T, rugueux et rouillé, qui leur déchirait l'épaule. Ils marchaient en silence, avec une lenteur hésitante et macabre, et j'entendais seulement leur souffle comme un gémissement entrecoupé. Le premier tendait en avant une tête dont le crâne semblait énorme au-dessus du visage où la peau collait à l'os. Il avait dans la nuque une dépression bordée de deux tendons où l'on eût pu mettre le poing. Les cheveux courts et noirs avaient pris une teinte poussiéreuse. La sueur les plaquait par endroits, et à d'autres ils avaient laissé la place à la peau nue, une sorte de pelade où s'étaient formées des croûtes dont quelques-unes saignaient. Son compagnon était plus petit. Le fer pesait davantage sur son épaule et la meurtrissait cruellement. Le visage était couvert de mille petits plis, comme un ballon d'enfant à demi dégonflé. La peau était couleur de cendre. Les yeux ressortaient au point qu'on s'attendait à ce qu'ils roulassent, comme des billes, et le blanc était tout griffé. Je vis aussi que l'une de ses oreilles était à demi décollée du crâne,

séparée de lui par une gouttière sanguinolente,
courant entre deux lèvres frisées et suintantes. Ils
passèrent tous deux comme des ombres, mais
d'autres les suivaient. Mes pieds me parurent
peser cent kilos et rien n'aurait pu me faire avan-
cer d'un pas. Je vis un torse à moitié nu, sous des
haillons, les côtes se soulevaient et s'abaissaient
comme un soufflet, et sous l'estomac qui semblait
s'être résorbé tant il était creux, l'effort gonflait
l'abdomen, et l'on voyait rouler sous l'étoffe, à
chaque pas, de molles grosseurs inquiétantes. Je
vis un homme dont le corps était encore obèse et
blanc tandis que les bras et les jambes étaient déjà
squelettiques et violacés. Ses yeux étaient pâles et
comme aveugles dans un cerne couleur d'encre,
et bien que le froid me glaçât les os, ses cheveux,
sa chemise étaient collés de sueur. Un autre eût
semblé presque normal, si le nez, les tempes, les
oreilles n'eussent été couverts de nervures dures
comme celles d'une feuille. Une narine un peu
enflammée s'était agrandie d'une façon bizarre,
comme si une souris fût venue la ronger pendant
la nuit. Un autre, dont les clavicules formaient
deux salières profondes, poussait péniblement
devant lui un ventre énorme qui semblait avoir
dégringolé entre les cuisses. Un autre portait à

l'aisselle des ganglions si turgescents, qu'on eût
dit qu'ils s'étaient répandus sous l'épiderme
comme des entrailles. Tous avaient une peau
étrange, brouillée comme un lait qui tourne, de
la cire souillée de terre, excoriée de dartres, de
gerçures, de bourgeons, comme si l'organisme se
fût révolté, eût voulu protester, se faire entendre
par ces cris rouges ou ces gémissements blanc-
châtres.

Leur âge? Je ne saurais le dire. Tous les âges
sans doute, mais comment le savoir? Sur le coup
j'eusse dit : "Vieux, très vieux", mais aussitôt
je me serais repris. Il en était même, sûrement,
de très jeunes. Je vois encore, émergeant de la
brume, ce visage saisissant... Ces lèvres fines, fra-
giles, douloureusement entrouvertes sur de petites
dents très blanches, dont plusieurs manquaient.
Et tout autour, cette peau couleur de zinc, crevas-
sée comme celle d'un vieux paysan... Ces trois
rides profondes sur lesquelles tombaient de douces
boucles blondes... Et ces yeux enfoncés, dilatés,
dans des paupières ocreuses et fripées comme un
délicat papier de soie qui sert depuis longtemps...
Un autre avait encore un front tout blanc et tout
lisse, comme on ne l'a qu'à seize ans. Mais là-dessous, le visage semblait avoir subi une catastrophe

inexplicable. Les yeux ne laissaient voir qu'une pupille fiévreuse, noyée dans une conjonctive rouge comme une plaie. La bouche, exsangue, s'effondrait entre deux parenthèses enflammées qui creusaient les joues, du nez au menton. Mais le cou était encore fragile, lisse et souple comme celui d'une fillette.

Le brouillard s'était levé. J'apercevais maintenant la campagne autour de moi, si l'on peut nommer cela une campagne : un cirque à peine vallonné, dont un côté courait se perdre au loin dans une brume sale, dont les autres s'élevaient vers des collines informes. Cette terre noire, boueuse et émiettée, partout. Pas un arbre. Pas un lambeau de verdure où l'œil se repose. Le ciel noir comme la terre. Dans une dépression qu'il fallait bien appeler une vallée, je distinguais des constructions géométriques, noires comme le ciel et la terre, et plus tristes, plus funèbres encore d'être en rangs. Par files de dix, une trentaine dans chaque rang, de quoi, pensai-je, abriter deux douzaines de mille d'hommes. Au milieu, une construction plus haute, autrefois blanche, avec une cheminée de brique autrefois rouge, mais devenue noirâtre comme le reste, comme la fumée qu'elle vomissait. C'était là que j'allais. Je

me remis en marche. C'était loin encore et j'avais
le cœur si lourd! La terre collait à mes pieds, et
mes regards, où qu'ils se portassent, ne rencon-
traient que ces groupes faméliques, ces ombres
efflanquées, écrasées sous des charges diverses,
qu'elles transportaient dans ce lugubre silence...
Des piles de madriers, des sacs de ciment, des
poutrelles de fer... Il y avait d'autres formes aussi,
vêtues de noir, celles-là robustes et alertes. Ces
hommes-là ne portaient rien qu'une trique. Ils
allaient parmi les groupes, veillant à ce qu'il n'y
eût point d'arrêt. Le long d'un remblai je croisai
l'un de ces pitoyables attelages. L'homme, derrière, s'était laissé tomber, avait lâché l'extrémité
du madrier qu'il portait. Il était étendu tout de
son long, la figure dans la terre boueuse. Son
compagnon devant lui, debout, voûté, immobile,
semblait porter sa croix, et ne bougeait pas, il ne
regardait pas, il ne pensait sans doute pas, il ressemblait à ces pauvres chevaux abrutis qui attendent, la tête pendante, le coup de fouet qui les
fera repartir. Pendant ce temps un homme noir,
accouru, tentait de faire lever l'homme épuisé, à
coups de trique. Je fus pris de nausée, il me semblait que l'homme ne pouvait que se laisser mourir sous les coups. Mais non. Il souleva sa carcasse

décharnée, il souleva même le madrier, et l'atte-
lage repartit en titubant. Un peu plus loin un
homme seul, ployé sous un sac plus lourd que lui,
squelette recouvert d'une peau cireuse et ballot-
tante, les talons à vif humectant le bord des
chaussures délabrées de sang et d'humeur, vomissait en marchant, ou plutôt tentait de vomir
une bile avare qui coulait le long du menton
et du cou. Son estomac se contractait en spasmes
horribles, et un homme noir lui donnait du
cœur au ventre à coups de trique dans les reins.

Il y avait des hommes moins épuisés. Ceux-là
avaient encore un regard. Était-ce plus suppor-
table? On n'y lisait que la détresse et la peur. On
ne voyait pas encore leurs os sous la peau, mais
celle-ci déjà prenait un aspect fripé, granuleux et
blême, qui annonçait la déchéance en marche.
On devinait les boursouflures qui bientôt seraient
de l'œdème, des rougeurs qui bientôt seraient des
ulcères, des lividités qui bientôt se gonfleraient de
pus. Je ne sais si ce n'était pas encore plus poi-
gnant de les voir à peu près sains et de savoir ce
qu'ils deviendraient. J'avançais. J'avais affreusement froid. Je ne sais si c'était la bise ou la
peine, mes yeux laissaient couler des larmes
qui glissaient brûlantes sur mon visage. J'avan-

çais. Près d'une pile de sacs de ciment un corps
misérable gisait, un peu recroquevillé. Il était
visible qu'il était mort. Un homme noir le retournait du bout de sa trique, comme on retourne
une méduse échouée sur le sable, d'un air à
demi indifférent, à demi dégoûté. Je vis le visage,
que la mort avait nettoyé de ses impuretés,
et qui était beau — qui avait retrouvé sa beauté.
J'aurais voulu m'enfuir, mais je ne pouvais pas.
Je pouvais seulement marcher lourdement. Et
je dus marcher en rond. Car il me sembla bien
rencontrer plusieurs fois ce couple funèbre,
l'homme noir taquinant du bout de sa trique,
avec un mépris blasé, le corps inerte à ses pieds.
J'avançais. En passant une fondrière, je marchai
sur quelque chose de mou. Mon cœur bondit
et je fis un saut. C'était une main. La paume
d'une main. Elle appartenait, cette main, à un
homme couché sur le dos, les bras en croix. Le
visage étique bougea un peu et les yeux posèrent
sur moi leur regard vague. Ce fut un peu comme
si j'étais regardé par une bête sous-marine, comme
par un poulpe. Oh! c'était intolérable. Je n'aurais
pas pu toucher à cet homme, non, pour rien au
monde. Et je m'éloignai, je continuai ma route,
poussant avec peine mes pieds pesants. Pourtant

je ne pus éviter d'entendre, derrière moi, le bruit
de la trique sur les os.

Je dus voir bien d'autres choses que ma mémoire a laissé perdre. Je me rappelle un groupe,
à quelque distance des baraques, une centaine
d'hommes à demi visibles dans la fumée que le
vent chassait par lambeaux. Ils étaient en ligne,
au garde-à-vous, une mauvaise valise ou un ballu-
chon à leurs pieds, des pieds mal chaussés qui
macéraient dans la boue glacée. Ils semblaient
valides, bien qu'ils fussent tous curieusement
blêmes, comme ces endives qu'on cultive en cave.
Seules les oreilles étaient rouges sous la bise, et
toutes ces paires d'oreilles étaient d'un comique
lugubre. Depuis quand étaient-ils là? Il y avait
des trous dans leurs rangs, certains étaient tombés, on les laissait où ils étaient tombés. L'immobilité des autres était hallucinante dans la fumée
agile, elle s'expliquait par la présence de quelques
hommes noirs qui déambulaient, la trique sous le
bras, en se frottant les mains pour les réchauffer.
Je les dépassai. En vient-il ainsi toujours, me
demandai-je, toujours d'autres? Et où les met-
on? Et soudain je me rappelai le mort, et les
autres, et le numéro que j'avais vu cousu à l'épaule
de l'homme muet, cent soixante mille et quel-

ques, et ces baraques pour combien? trente
mille au plus, et alors un flot de fumée s'abattit
sur moi, et me prit à la gorge, et je respirai une
odeur si atroce que mon corps se couvrit de chair
de poule, une odeur de soufre un peu, mais une
autre aussi, une odeur abominable d'os calcinés et
de charogne. Et je regardai avec épouvante la
construction grisâtre et sa cheminée fantomatique
dans ses falbalas de fumée, et je compris dans un
frisson terrifié leur signification sinistre.

Ici ma mémoire tombe dans un trou. Comme
si cette fumée et mon effroi fussent une mixture
délétère et que ma conscience eût succombé. Il
me semble que j'ai longtemps évolué dans cette
fumée. Et tout de même, oui, je revois des choses
— des îlots de souvenirs déserts. Je revois mon
compagnon à la langue brûlée. Sa face carrée,
blanche, torturée et qui m'offre toujours ce sourire secret et glacé — et je comprends bien maintenant que c'était le sourire de Yorick. Et il me
montre la paume de ses mains, brûlées comme sa
langue, couvertes de cloques suppurantes et de
lambeaux saigneux et noircis. Et il sourit, il sourit.
Je me rappelle encore un homme qui court, et
je me demande comment il peut courir avec ces
pieds énormes, déformés et blessés, et ces jambes

comme deux triques, articulées autour du genou
volumineux comme une transmission à cardans;
et pourtant il court, et j'entends en passant son
halètement rauque, pressé, dont je ne sais s'il
trahit l'essoufflement ou la peur. Il y a aussi cet
enfant que je tiens, sanglotant, dans mes bras.
Qui était-ce? Je ne sais plus. Je me revois seulement l'étreignant, pressé contre moi. Je mêle mes
sanglots aux siens. Il y a toujours cette fumée, et
dans les cheveux de l'enfant je vois courir la ver-
mine. Et j'ai croisé encore les hommes en ligne,
mais beaucoup plus tard, après bien des heures.
La lumière du jour a changé et s'assombrit. C'est
moi qui cours, cette fois, je passe en courant, et
ils sont toujours là, les pieds dans la boue, immobiles dans les déchirures de la fumée mêlée au
vent d'hiver. Leurs rangs se sont encore éclaircis.
Et ils n'ont plus les oreilles rouges. Toute la peau
qu'on voit, les mains, le visage, les oreilles, ont la
même couleur bleuâtre. Et j'ai revu enfin, une
dernière fois, mon premier compagnon. On l'em-
porte sur une civière. Un drap recouvre entièrement son corps raidi. Pourtant je vois, *sous* le linceul, son visage blafard, son visage qui sourit.
Mais, ah! ce n'est plus désormais le même sourire.
Maintenant qu'il est mort il a perdu le sourire de

Yorick. Ce sourire-là est heureux, et je sais que
c'est à moi qu'il est destiné, comme un signe
fraternel, comme un message d'espérance.

Et puis...

Comment cela est-il survenu? Comme en songe.
En songe il n'y a pas de comment. Maintenant,
j'étais un de ces hommes. Je ne le suis pas devenu :
je l'étais. Depuis toujours. Je n'étais plus ce
spectateur qui tantôt les regardait avec une
pitié pétrifiée. Je ne l'avais jamais été. J'étais seulement un de ces hommes-là. Je traînais ma
charge, comme eux, et mon corps en ruine,
comme eux. Je n'avais pas d'autres souvenirs que
ma fatigue et ma douleur. Pas d'autres souvenirs
que ceux qui s'étaient inscrits, jour après jour,
que ceux qui s'inscrivaient d'heure en heure dans
ma chair. Tout ce que j'avais de conscience se
ramenait en ces deux points : celui où ma charge
déchirait ma peau, écrasait l'os, celui où mes
entrailles me semblaient devenues si lourdes
qu'elles pesaient sur le bas-ventre à le rompre. Si
j'avais un désir, c'était seulement le désir intaris-
sable, interminable, le désir seulement de me coucher et mourir. Mais je savais d'une science d'ani-
mal, d'une science de cheval dans ses brancards,
que je ne pouvais ni me coucher, ni mourir... Car

l'homme n'est pas seul dans sa peau, il y loge une
bête qui veut vivre, et j'avais de longtemps appris
que, si j'eusse accepté avec bonheur que la trique
des hommes noirs me tuât sur place, la bête, elle,
se relèverait sous les coups, comme la souris à
demi morte, les reins brisés, tente encore d'échapper à son tortionnaire. Je le savais et cela rendait
mon atroce fatigue et mon atroce désir encore
plus atroces et cruels.

Et si au fond de ce puits, au fond de cette iné-
puisable géhenne, si au fond de cette hébétude
déchirée j'avais une pensée — s'il me restait un
sentiment, c'était l'amer crève-cœur, c'était le
déchirement, c'était le désespoir désert et · glacé
de savoir que des gens, par le monde, des hommes
comme nous, avec une tête et un cœur, con-
naissent notre existence et notre vie, et qu'ils
mènent leur vie à eux, leurs affaires d'argent,
d'amour, et de table, qu'ils avancent chaque jour
parmi les choses et dans le temps sans nous consa-
crer l'obole d'un souci. Et que même il en est
d'autres, oui, qu'il en est d'autres, d'autres qui
parfois songent à nous — et que cette pensée fait
sourire.

Novembre 1943.

L'IMPUISSANCE

à la mémoire de Benjamin Crémieux

On est plus ou moins sensible, n'est-ce pas, aux malheurs des autres. Mon ami Renaud le fut de tout temps à l'extrême. C'est pourquoi je l'aime, s'il arrive souvent que je le comprends mal.

Je le connais depuis si longtemps qu'il m'est difficile d'imaginer une part de ma vie sans lui, — sans qu'il soit plus ou moins mêlé à elle. Pourtant je me rappelle quand je l'ai vu la première fois. Quand il est entré, long et mince, avec cet air qu'il avait, à la fois surpris et attentif, dans la classe du père Clopart. Il dit son nom, et je compris : " Rémoulade ". Clopart dut l'entendre ainsi lui-même car il le lui fit répéter. J'entendis " Rémoulade " encore, et les premiers temps je lui donnai sincèrement ce nom. En fait, il s'appelait Houlade — Renaud Houlade. Il avalait un peu les syllabes.

On le fit asseoir à deux ou trois rangs derrière

moi. Il vit donc très bien le camarade qui, devant
lui, me saisit en manière de jeu par le col de ma
veste et me secoua comme on fait d'un prunier.
Et moi je laissai tomber, en guise de prunes, une
volée de gouttes d'encre qui s'en furent souiller
les cahiers de mes deux voisins. Il s'ensuivit un
brouhaha dont je fus tenu pour responsable, et la
minute d'après j'étais occupé, dans le couloir, à
guetter les bruits de pas et à tenter de reconnaître
si, parmi eux, ne s'entendraient pas ceux du
directeur. J'avais le cœur tout bouillant de l'injustice qui m'était faite.

Alors la porte de la classe s'ouvrit de nouveau
et je vis sortir Rémoulade. Il vint à moi en souriant. Un sourire un peu étrange : à la fois crispé
et railleur, — un mélange d'indignation et de
triomphe. Il dit :

— Je me suis fait fiche à la porte.

— Toi aussi? Exprès?

— Oui, dit-il. Je ne pouvais pas tout de même,
n'est-ce pas, cafter le copain. Mais je pouvais
encore moins tolérer ce qu'on t'a fait. Alors
voilà : je me suis fait fiche à la porte.

J'ai oublié comment il s'y était pris. (Je crois
qu'il avait, tout simplement, sifflé un petit air.)
Mais je n'ai pas oublié que notre amitié date de

ce jour, — non parce qu'il avait fait cela pour
moi (il ne me connaissait pas), mais à cause du
caractère que son acte laissait deviner. J'étais profondément conscient de la gravité d'un tel geste
commis dès son entrée à l'école, du risque bra-
vement encouru d'être à jamais noté comme une
" mauvaise tête ". En vérité, il se montra ce jour-
là comme il fut toute sa vie : toujours prêt à
charger sur ses propres épaules le poids de n'importe quelle injustice, — toujours prêt à payer
lui-même pour les péchés du monde.

On imagine ce que durent être pour lui ces
quatre ans que la France a passés au fond des
catacombes. Ce n'est pas une fois, mais dix, qu'il
m'a fallu l'empêcher de commettre quelque irrémé-
diable sottise. Il voulut arborer l'étoile jaune, se
porter otage volontaire. Il finit par comprendre la
vanité de ces révoltes. D'autres ont souffert, ont
maigri de faim. Lui maigrissait, se consumait de
rage rentrée. Inutile de vous dire qu'il se lança
dans la résistance à corps perdu. C'est un miracle
qu'il soit encore en vie. Mais l'activité, les dangers
courus n'éteignaient pas en lui ce feu d'imagination que chaque jour nourrissait d'une pâture
nouvelle.

J'avais pris l'habitude de l'aller voir quotidiennement dans son pavillon de Neuilly. Cela lui faisait du bien. Je lui servais d'exutoire pour tout ce qui débordait de son cœur tourmenté. Je me suis fait, plus d'une fois, traiter de tous les noms. Ensuite il allait mieux.

Ce jour-là, j'étais porteur d'une lamentable nouvelle. Tout le long du chemin, j'avais hésité à la lui apprendre. Il y avait beaucoup de lâcheté dans mes hésitations, puisqu'il fallait bien que la chose lui fût dite un jour. Quand je franchis sa porte, je m'étais repris et décidé.

Si j'avais su... mais je ne savais pas. Il ne me dit rien quand j'arrivai : je n'appris le répugnant massacre du village d'Oradour que plus tard. Il avait eu entre les mains, lui, le matin même, cet étrange compte rendu préfectoral, d'une simplicité sinistre, qui circula quelque temps puis disparut. Et qui ne fut suivi d'aucune protestation officielle. Je suppose — je suis sûr qu'il m'attendait pour éclater. Il était très, très pâle. Mais j'étais trop tourmenté moi-même par ce que j'avais à dire pour y prendre garde. Lui vit mon désarroi, et alors il attendit.

— J'ai eu des nouvelles de... (je toussotai)... des mauvaises nouvelles.

Il me fallut un temps pour rassembler mon courage. Enfin je pus avouer :

— ... De Bernard Meyer.

Il dit seulement : " Ah ", comme on dirait : " Nous y voilà ". Il avait le visage prodigieusement fermé. Je ne m'attendais pas à ce qu'il montrât ce calme glacial. Je m'attendais à quelque agitation fébrile. Non que Bernard Meyer fût, pour lui ni pour moi, ce qu'on appelle un ami. Mais tout le monde l'aimait. Tous ceux qui, de près ou de loin, avaient approché " la boîte " ne pouvaient faire que l'aimer, — sauf les médiocres et les envieux. Il avait, à tous et à chacun, rendu plus de services que quiconque sur terre. Avait-on fait (ceux qui l'auraient pu) tout le possible pour le tirer de Drancy ? Nous savions bien, Renaud et moi, que non. Et nous savions bien pourquoi, — et que ce n'était pas reluisant.

— Il est mort, dis-je, et le regard fixe et glacé de Renaud ne m'aidait guère pour parler. En Silésie, dans son camp, poursuivis-je avec une constance méritoire. Et après un long intervalle j'ajoutai enfin les deux petits mots terribles, les deux mots dont nous savons désormais ce qu'ils résument de souffrances, de tortures et d'horreurs, les mots laconiques que portait l'avis de décès : *D'extrême faiblesse...*

Renaud ne dit rien. Il me regardait toujours. Et je sus que l'image de Bernard Meyer flottait entre nous, celle à la fois du Bernard que nous avions connu, — ce long visage blanc; ces yeux tout ensemble vifs et rêveurs, cette barbe légendaire que tout ce qui écrit et pense dans le monde avait connue quelque jour, ce chaud accent plein de soleil... — et celle du misérable visage désespéré qu'il avait dû traîner dans la mort... " D'extrême faiblesse "... Je sentais ces deux mots, si horriblement suggestifs pour quiconque sait le martyre de ces camps-là, faire leur chemin dans l'âme de Renaud.

...a tale unfold, whose lightest word
Would harrow up thy soul; freeze thy young blood;
Make thy two eyes, like stars, start from their sphere[1].

Les longues minutes de lourd silence qui passèrent alors, je ne les oublierai pas. Il faisait chaud, les volets étaient fermés aux trois quarts pour sauver ce qui se pouvait d'une fraîcheur mourante... Un insecte — guêpe ou bourdon — se

1. ... Une chaîne de visions dont la plus douce lacérerait ton âme, gèlerait ton jeune sang, ferait surgir tes yeux comme des astres hors de leur sphère. *(Hamlet.)*

cognait sans cesse au vasistas avec l'entêtement
absurde d'une fatale incompréhension... Renaud
n'avait rien dit, pas un mot. Rencogné au fond
du divan, il me regardait. Me voyait-il? C'était
un regard de pierre. Tout en lui était de marbre :
ses lèvres serrées, son nez mince, son front qui
luisait doucement, éclairé par un reflet vague,
— la lueur un peu verte d'un rayon passé au travers des arbres...

Je ne sais trop comment je me retrouvai
dehors. La vérité est que j'avais fui : à peine si
j'avais bredouillé quelque chose concernant la
nécessité d'apprendre la nouvelle à d'autres. Je
me sentais le vaincu d'un étrange combat. Comme
un qui s'est préparé, qui a bandé ses forces en vue
de résister à l'assaut furieux d'un adversaire, et
que celui-ci soudain embrasse en pleurant.

Mais, tandis que je marchais lentement sous le
soleil, la vérité confusément commençait de m'ap-
paraître : quelque élément m'était caché, c'est à
quelque place déjà blessée que j'avais dû frapper
Renaud. Mon désarroi dès lors se mua en inquiétude. Je connaissais trop bien Renaud pour ne pas
imaginer quelle rafale intérieure devait recouvrir
ce silence farouche. Je pris peur un peu. Oh! je
ne pensais à rien de *vraiment* tragique, — mais à

quelqu'un de ces gestes inconsidérés et, surtout, imprévisibles...

Ma mémoire flottait d'un souvenir à l'autre... Quand il avait soudain quitté la Sorbonne, abandonnant son oral au bac, parce qu'on avait " collé " Mouriez... Les démarches que j'avais faites avec mon père par une journée aussi chaude que celle-ci, pour faire relever Renaud (artilleur à Rennes) d'un engagement à la Légion, — parce qu'un juteux sadique martyrisait un pauvre gars hébété... Et cet abandon (du jour au lendemain) d'une élégance discrète mais sévère pour un laisser-aller de chandails et de savates, — parce qu'il avait acquis la preuve qu'un homme admiré, grand bourgeois d'une famille de notables, n'était qu'un Tartufe sans scrupule...

Je revins sur mes pas. Oui, la dernière vision emportée de lui, immobile, pâle et obstinément muet sur son coin de divan, me sembla tout à coup le prodrome d'un de ces coups impétueux et baroques. Je ne me trompais guère.

Je le trouvai dans son jardin. Il avait déjà accumulé branches et branchages, avec des débris de caisses, des éclats de planches et de lambris, en vue de je ne sais quel bûcher. Et là-dessus commençaient de s'entasser les trésors durement ras-

semblés durant sa vie, — qui étaient le sel de sa
vie : livres, objets, tableaux... Mon cœur sauta à
la vue de ceux que je reconnus : le coin d'un volet
de retable qui n'était sans doute pas de Memling,
mais assurément de l'école de Bruges. Une petite
marine mouvementée de Jules Noël, romantique
symphonie de gris et de bleus profonds. D'une
autre toile, je ne voyais que le dos, mais j'en
reconnaissais le cadre, — celui d'un " nain " (par
Picasso) dont il me semblait voir le visage mélan-
colique, plein de douceur. Une petite boîte de
citronnier, toute simple, mais qui contenait, je le
savais, quantité de dentelles vieillies et adorables.
Et cette étrange ceinture qui avait dû ceindre
quelque courtisane à la taille de guêpe, seize
menues plaques d'ivoire où un artiste charmant
avait peint seize petites scènes des amours de
Zeus... Tout cela nageait, avec maints objets moins
vite reconnus, parmi les livres. Et je vis qu'il
n'avait pas choisi. Qu'il avait déversé pêle-mêle les
éditions les plus humbles et les plus rares. Des
volumes écornés, à demi débrochés à force d'avoir
été lus, voisinaient avec les *Illuminations* en ori-
ginale, les contes anonymes de Nodier dans un
cocasse cartonnage romantique, *la Princesse de
Clèves* en reliure d'époque. Je reconnus le Hugo

qu'il tenait de son père, le Proust auquel manquait, comme un œil, *l'amour de Swann*, les Con-
rad et les Woolf de Tauchnitz, tous ces livres que
j'avais si souvent feuilletés et empruntés. Domi-
nant le tout, une petite main de bronze, la main
longue, souple, mince et délicate d'un Bouddha
du Népaul, semblait muettement offrir sa protestation désespérée. Quand j'arrivai, Renaud vidait
ses bras de toute une charge de Balzac. Je l'appe-
lai d'un cri depuis le seuil.

Il se retourna. Ces yeux gris et luisants,
brûlants et glacés, comme je les connaissais!
Il baissa le front, dans un mouvement de jeune
taureau.

— Eh bien? dit-il. Je voyais ses mâchoires
remuer, et je le sentais tendu sur ses jambes,
comme prêt à bondir. Je m'approchai.

— Écoute, Renaud... commençai-je en levant
une main. Il bondit en effet, écarta les bras, me
barra la route. Je voulus prendre son poignet,
mais il se dégagea d'un geste brusque. " Renaud,
suppliai-je, écoute-moi. A quelle folie encore... "

— Folie? lança-t-il. Il enfonça ses mains dans
ses poches et partit à rire. C'était un rire forcé,
mécanique, violent et pitoyable. Folie, dis-tu!
Folie, vraiment... Tu n'es pas fou, TOI. Oh!

non, pas du tout. Il me regardait comme s'il
m'eût haï.

Je compris que si je ne parlais pas très vite il
allait me prendre par les épaules, me pousser
dehors.

— Renaud, Renaud, m'écriai-je, tu n'as pas
ton sang-froid. Attends. Écoute-moi. Que vas-tu
faire? A quoi rime cet holocauste? Qui donc
vas-tu punir? Toi, une fois de plus, et quand...

Il m'interrompit et cria :

— Non! Il secoua la tête. Moi? Me punir
moi? D'une main il sembla balayer ces mots et
tout à coup se pencha vers mon visage. Non,
non... cria-t-il et il me lança dans la figure : Le
mensonge! Il répéta, il hurla du plus fort qu'il
pouvait : Le men-son-ge!

Je crus qu'il m'accusait.

— Qui? protestai-je. Quel mensonge?

Prit-il garde à ma question? Probablement pas
tout de suite. Il continuait sur le même ton de
colère furieuse :

— Le plus grand, le plus sinistre mensonge de
ce monde sinistre! Mensonge! Mensonge! Mensonge! Lequel dis-tu? Tu ne sais pas, vraiment?
Oui, oui, je vois ce que c'est. Tu en es, toi aussi,
tu en es comme j'en étais. Mais je n'en suis plus,

c'est fini. Adieu, n-i-ni fini, j'ai compris! cria-t-il dans un éclat de rage exaspérée et il se détourna vers le bûcher et fit un pas.

Je le rattrapai par la manche. Mais ce fut lui qui m'entraîna et en trois sauts nous fûmes auprès de l'amoncellement. Il y donna un coup de pied et je vis voler en l'air la *Chartreuse de Parme*. Et tout à coup il agrippa mon épaule, et m'obligeant à me pencher sur ces trésors accumulés :

— Mais regarde-les, cria-t-il, et salue-les donc, et bave-leur donc ton admiration et ta reconnaissance! A cause de ce qu'ils te font penser de toi-même. Puisque te voici, grâce à eux, un homme si content de soi! Si content d'être un homme! Si content d'être une créature tellement précieuse et estimable! Oh! oui : remplie de sentiments poétiques et d'idées morales et d'aspirations mystiques et tout ce qui s'ensuit. Nom de Dieu, et des types comme toi et moi nous lisons ça et nous nous délectons et nous disons : " Nous sommes des individus tout à fait sensibles et intelligents. " Et nous nous faisons mutuellement des courbettes et nous admirons réciproquement chacun de nos jolis cheveux coupés en quatre et nous nous passons la rhubarbe et le séné. Et tout ça qu'est-ce que c'est? Rien qu'une chiennerie, une chiennerie

à vomir! Ce qu'il est, l'homme? La plus salope
des créatures! La plus vile et la plus sournoise
et la plus cruelle! Le tigre, le crocodile? Mais
ce sont des anges à côté de nous! Et ils ne jouent
pas de plus au petit saint, au grave penseur,
au philosophe, au poète! Et tu voudrais que
je garde tout ça sur mes rayons? Pour quoi
faire? Pour, le soir, converser élégamment avec
Monsieur Stendhal, comme jadis, avec Monsieur
Baudelaire, avec Messieurs Gide et Valéry, pendant qu'on rôtit tout vifs des femmes et des
gosses dans une église? Pendant qu'on massacre
et qu'on assassine sur toute la surface de la terre?
Pendant qu'on décapite des femmes à la hache?
Pendant qu'on entasse les gens dans des chambres
délibérément construites pour les asphyxier?
Pendant qu'un peu partout des pendus se balan-
cent aux arbres, aux sons de la radio qui donne
peut-être bien du Mozart? Pendant qu'on brûle
les pieds et les mains des gens pour leur faire
livrer les copains? Pendant qu'on fait mourir à
la peine, qu'on tue sous les coups, qu'on fait crever
de labeur, de faim et de froid mon doux, mon
bon, mon délicieux Bernard Meyer? Et que nous
sommes entourés de gens (des gens très bien,
n'est-ce pas, cultivés et tout) dont pas un ne ris-

querait un doigt pour empêcher ces actes horribles, qu'ils veulent lâchement ignorer, ou dont ils
se fichent, que quelques-uns même approuvent et
dont ils se réjouissent? Et tu demandes " quelle
folie encore...? " Nom de Dieu, qui de nous est
fou? Dis, dis, où est la folie? Oseras-tu prétendre
que tout ce fatras que voilà est mieux qu'une
tartuferie, tant que l'homme est ce qu'il est? Un
sale soporifique, propre à nous endormir dans une
satisfaction béate? Saloperies! s'écria-t-il d'une
voix si aiguë qu'elle s'enroua de colère. Je n'en
lirai plus une ligne! Plus une, jusqu'à ce que
l'homme ait changé, mais d'ici là, plus une ligne,
tu m'entends? Plus une, plus une, plus une!

Il m'avait lâché. Ces derniers mots il les cria en
tapant du pied, comme un enfant coléreux que le
chagrin met hors de lui. Il saisit la branche d'un
arbuste et l'arracha. Il donnait des coups à droite
et à gauche, sur n'importe quoi, en répétant
" plus une, plus une! ", mais tout à coup sa voix
se brisa dans un étrange gargouillis, et enfin les
larmes s'échappèrent, et tout son corps, abandonnant soudain sa violence, sembla se tasser sur lui-
même; et moi, le prenant à mon tour par le bras,
je pus à pas lents le conduire jusqu'à son divan,
et il s'y laissa tomber, et il enfouit sa tête dans

un coussin et s'abandonna tout à fait aux sanglots.

Il pleurait vraiment comme un enfant désespéré. Je crois bien que je pleurais aussi, silencieusement, en le regardant. Je m'étais assis près de
lui, et je tenais une de ses mains dans les miennes,
et il s'y accrochait, — il s'y retenait et s'y pendait,
tout à fait, vraiment, comme un enfant. Ce désespoir dura longtemps, — il me parut prodigieusement long. Mais, pour finir, comme un enfant
les larmes peu à peu eurent raison de lui, comme
un enfant il s'assoupit dans la pénombre de plus
en plus épaisse de ce long jour finissant, tandis
que le secouaient encore, d'instant en instant, de
petits soupirs convulsifs.

Alors je montai à l'étage chercher la vieille
Berthe, afin qu'elle m'aidât. La nuit était tombée.
Berthe ne demanda rien. Elle se contenta d'un
regard sur Renaud, endormi et pitoyable, et
secoua un peu la tête. Et c'est silencieusement
que nous remîmes toutes choses à leur place.

Mais depuis j'ai perdu moi aussi la joie de la
lecture. Pensé-je comme Renaud? Non pas, tout
au contraire! L'art seul m'empêche de désespérer.
L'art donne tort à Renaud. Nous le voyons bien
que l'homme est décidément une assez sale bête.

Heureusement l'art, la pensée désintéressée le rachètent.

Et pourtant, depuis ce jour, j'ai perdu la joie de lire. Mais c'est à cause de moi : c'est moi qui ai mauvaise conscience. Devant mes tableaux, devant mes livres, je détourne un peu les yeux. Comme un filou, pas encore endurci, qui ne peut jouir avec un cœur tranquille de ses trésors dérobés.

Juillet 1944.

LE CHEVAL ET LA MORT

Je n'écoutais guère leurs histoires. Elles m'amusent parfois, mais le plus souvent je les trouve stupides. Je réchauffais le petit verre d'alcool dans mes mains, et je riais comme les autres, au mot de la fin, par cordialité. Il me semblait bien que notre hôte faisait tout comme moi. Pourtant (quand Jean-Marc toussa pour éclaircir sa voix) il leva les yeux sur lui, sourit, et montra bien qu'il écoutait.

— La mienne est vraie, d'histoire, dit Jean-Marc. Je n'ai pas toujours été le bourgeois bedonnant que vous voyez. Je n'ai pas toujours été gérant d'immeubles. J'ai été un aspirant-architecte que les copains aimaient bien parce qu'il était fantaisiste. C'est extraordinaire combien la fantaisie est une qualité fragile.

"Ce jour-là... ou plutôt cette nuit-là, nous étions une demi-douzaine à avoir bien bu et bien chanté chez Balazuc, vous savez, rue des Beaux-Arts : son tavel. Ça se boit comme de l'eau...

— Ça se buvait, dit Maurice tristement.

— Ça reviendra, dit Jean-Marc. Nous déambulions le long du boulevard Saint-Germain. Il était minuit... une heure. Nous cherchions quelque chose à faire, quelque farce à faire. Je n'ai jamais très bien compris comment la chose se trouvait là : un tombereau vide avec un cheval, attaché à un arbre. Sans cocher, sans rien. C'était un bon gros cheval, qui dormait debout, la tête pendante. Nous l'avons dételé, et il nous a suivis bien tranquillement, à la manière des chevaux, qui semblent toujours trouver ce qu'on leur demande à la fois un peu étrange et tout à fait naturel. Nous lui montions sur le dos alternativement, et ceux qui restaient à pied l'excitaient de la voix et du geste. J'ai même réussi à lui faire prendre le galop, une fois, oh! pas longtemps : sur dix ou douze mètres. Si nous le laissions à lui-même, il ralentissait l'allure jusqu'à s'arrêter, et il s'endormait sur place. Nous lui avons fait faire je ne sais quels détours. A vrai dire, nous en avons eu bientôt assez, mais nous ne savions que faire de lui. Pas question d'aller le remettre à son tombereau : c'était trop loin. Nous étions arrivés rue d'Assas, ou rue de Fleurus, par là.

" C'est alors que j'ai eu l'idée. Connaissez-vous la rue Huysmans? La rue la plus sinistre

de tout Paris. C'est une rue entièrement bour-
geoise : entendez qu'elle a été construite en une
fois, avec de chaque côté des maisons de pierre
de taille, de style bourgeois. Pas une boutique,
vous n'avez pas idée combien une rue sans boutiques (sans boutiques du tout) peut être lugubre.
Personne n'y passe. Une rue grise, guindée, vani-
teuse, toujours déserte. Une rue de pipelets, de
pipelets bien élevés, qui ne sortent jamais sur le
pas de leur porte. J'ai tout à coup pensé que
j'avais l'occasion de me venger de cette rue.

"De me venger, tout au moins, d'un des pipelets. N'importe lequel. Nous avons amené là
notre cheval. On a sonné à une porte, une superbe
porte en fer forgé, avec de grandes vitres. On a
fait entrer le bon dada, on l'a poussé jusque
devant la loge. L'un de nous a dit d'une voix
très forte, a crié comme un locataire attardé,
d'une voix un peu hennissante :

"— Chevaâal! "

"Et nous sommes sortis en le laissant là. Je ne
sais rien de la suite.

"Ça n'a pas l'air très drôle, mais... Tout de
même, il suffit d'un peu d'imagination. D'imaginer d'abord le bon bourrin, tout seul dans le hall,
immobile, l'air idiot et un peu embêté. Et le pipe-

let, qui entend ce nom bizarre, il ne se rappelle
pas ce locataire-là. Qui entrouvre sa lucarne, —
qui voit ça (un vrai cheval dont la longue tête
tourne vers lui son regard triste) et qui, pendant
une minute, dans son demi-sommeil, se demande
si maintenant les chevaux rentrent chez eux vraiment en disant leur nom... Moi, depuis vingt ans
que c'est arrivé, je jubile chaque fois que j'y
pense. ”

Notre hôte posa son verre et dit :

— Je vais vous raconter la plus belle histoire
sur Hitler.

Ce coq-à-l'âne me parut plutôt étrange.

— Au fond c'est la même histoire, reprit-il,
c'est pourquoi j'y pense. C'est encore une histoire
vraie. C'est Z... qui la raconte, il connaît très bien
Brecker. Ce ne serait pas une preuve qu'elle fût
vraie, mais je suis certain qu'elle l'est. Car elle ne
finit pas. Quand une histoire est imaginaire, on
lui trouve une fin.

“ C'est quand Hitler est venu à Paris, en 41.
Vous savez. Il est arrivé à cinq heures du matin.
Il s'est fait conduire ici et là. Il y a une photo
atroce, — atroce pour nous — où il est sur la terrasse du Palais de Chaillot. Devant l'un des plus

beaux, devant peut-être le plus beau paysage urbain du monde. Avec tout Paris à ses pieds. Tout Paris endormi et qui ne sait pas que Hitler le regarde.

"Il s'est fait conduire aussi à l'Opéra, dans la salle. La salle de l'Opéra à six heures du matin... vous imaginez cela. Il s'est fait montrer la loge du président de la République, et il s'y est assis. Assis tout seul, dans cette loge, tout seul dans cette salle à six heures du matin. Je ne sais pas si cela vous dit quelque chose. Moi je trouve cela pathétique, je trouve cette visite de Paris pathétique. Cet homme qui a conquis Paris mais qui sait bien qu'il ne peut posséder cette ville qu'endormie, qu'il ne peut se montrer à l'Opéra que dans le désert poussiéreux de l'aube...

"Mais tout cela n'est survenu qu'après. Ce que je veux vous raconter se passe d'abord, dès son arrivée. C'est Brecker qui le reçoit, le morne Brecker que Hitler appelle son Michel-Ange. Et le Führer lui dit :

"— Avant tout emmène-moi où tu habitais, il y a vingt ans. Je veux d'abord voir où tu travaillais, je veux voir ton atelier à Montparnasse.

"Alors la voiture met le cap sur la rue Campagne-Première, ou sur la rue Boissonade, je ne sais plus trop, enfin une de ces rues-là. Brecker hésite un peu, tâtonne un peu, bien des choses ont changé depuis vingt ans. Tout de même il reconnaît l'espèce de grande porte cochère. On descend et on frappe.

" Ici il me semble qu'il vous faudrait faire le même effort d'imagination que pour le pipelet au bourrin. Ce n'est pas cette fois un pipelet mais une vieille gardienne; on ne peut pas ouvrir de la loge, il faut descendre. Ces coups insistants la réveillent, elle se demande, un peu tremblante, ce qui se passe, enfile une vieille douillette, ou une pèlerine, descend son demi-étage encore bien sombre, et tripote quelque peu de ses vieilles mains la grosse serrure indocile avant de parvenir à ouvrir la porte...

" Enfin elle ouvre, elle regarde. Et elle voit...

HITLER

" C'est toute l'histoire... Mais elle est surprenante et elle en dit long, parce que justement on comprend bien qu'il est superflu de raconter le cri terrorisé que la vieille jeta et comment elle repoussa précipitamment la porte sur cette incroyable vision. Autant dire qu'elle vit le Diable. Car enfin cela aurait pu être tout aussi bien d'autres Allemands : elle aurait eu peur certes, elle se fût dit : " Qu'est-ce qu'ils viennent faire? ", mais elle les eût fait entrer — en tremblant sans doute — mais enfin c'est tout. Ou bien imaginez Franco, ou même Mussolini. Elle ne les aurait probablement pas reconnus si vite et puis quand même : elle n'aurait pas repoussé la porte avec ce cri d'horreur épouvantée. Non, non : Nous voyons bien que ce qu'elle a trouvé derrière la porte était aussi terrifiant, aussi horrifique et redoutable que si c'eût été la Mort, la Mort avec sa faux et son linceul, et ce sourire sinistre dans les mâchoires sans lèvres. "

Août 1944.

L'IMPRIMERIE DE VERDUN

— A bas les voleurs!

Vendresse l'avait poussé de tout son cœur ce cri vindicatif, en ce captieux février. Il y croyait. Il détestait les voleurs. " C'est eux qui nous ont menés où nous sommes. "

Je l'aimais bien, Vendresse. Il était fervent et sincère. Sa sincérité, sa ferveur se trompaient de chemin, c'est tout. Il m'appelait : " Bolchevik! " en riant à moitié, à moitié seulement. Il savait que je n'étais pas " du parti ", que je ne serais jamais d'un parti. Mais j'étais encore moins du sien : le seul qui fût honnête à ses yeux, le seul où l'on aimât l'ordre et la patrie. Il n'aimait guère davantage les " types de l'A. F. ", des chambardeurs encore, dans leur genre. Oh! il était aussi pour le chambard, mais un chambard ordonné, un chambard contre les voleurs.

— Mais où sont-ils, ces fameux voleurs? disais-je.

— Eh bien, par exemple! s'indignait-il en me regardant avec des yeux tout ronds.

— Lisez donc, insistais-je, ce qu'écrivait l'autre jour un de mes amis : " Pourquoi, disait-il, ne va-t-on pas plutôt crier " à bas les assassins! " à la gare de l'Est, et brûler les vieux wagons de bois qui tuent les voyageurs par deux cents à la fois, parce que l'assurance coûte moins cher à la Compagnie que des wagons neufs? "

— Oh! protestait Vendresse, des wagons qui peuvent encore servir!

C'était là tout mon Vendresse, et je regardais avec amusement sa petite imprimerie tout encombrée d'objets inutiles, — vieux clichés, vieilles clefs, vieux cendriers-réclames, vieux écrous et même un vieux manomètre de quelle chaudière? — qu'il ne pouvait se décider à jeter : " ça pourrait servir ".

Imprimerie de Verdun. Ce nom surprenait sur l'étroite boutique, dans son encoignure du Passage d'Enfer, à Montparnasse. Pourquoi Verdun? L'enfer de Verdun? se demandait-on. En somme, il y avait de ça, bien que le rapprochement ne fût pas volontaire. Vendresse était mi-apprenti mi-compagnon en 14 quand éclata la guerre. Son patron parti, il garda la maison

ouverte jusqu'à son propre départ, à la fin de
1915. Tous deux furent blessés à Verdun, dans
des régiments différents. Vendresse s'en remit
très bien. Mais on dut couper le pied droit du
patron : gangrène. Un peu plus tard, il fallut
remettre ça au-dessus du genou. Puis toute la
cuisse y passa, et enfin la jambe gauche se prit.
Quand il alla sur le billard pour la sixième fois
(l'autre cuisse), il coucha Vendresse sur son testa-
ment et lui légua l'imprimerie, en souvenir de
Verdun.

C'est ainsi que Vendresse, en 1924, devint son
propre patron, et baptisa l'imprimerie de ce nom
glorieux. Oh! c'était une modeste affaire : " bil-
boquets " seulement, faire-part, en-têtes de lettres,
dépliants... Une minerve automatique, une presse
à pédale, et une drôle de vieille presse à bras.
C'est pour celle-ci que je venais : épreuves pour
mes éditions.

Petit patron mais, n'est-ce pas, patron. Il tenait
énormément à cette qualité. Voilà sans doute
pourquoi il était allé crier " à bas les voleurs! "
pour protester contre les impôts. Lesquels sont
trop lourds parce que les Juifs s'engraissent, que
les francs-maçons volent, que les " bolcheviks "
sabotent.

Il faisait une grande différence entre ces diverses
entités et les individus qui les composent. Ainsi
son compagnon était Juif, franc-maçon et anti-
fasciste. Ce qui n'empêchait point Vendresse,
malgré cette triple tare, de l'apprécier fort.
" Il y en a de bons ", disait-il. C'était, ce compagnon, un petit gars de Briançon, ardent, vif, tra-
vailleur et adroit, qui avait fait Verdun, lui aussi.
Après la guerre, il avait racheté à un sien cousin
une petite imprimerie dans le Piémont, à Pignerol.
Le fascisme l'en avait chassé. Vendresse l'avait
embauché, toujours en souvenir de Verdun.
Dacosta et lui s'engueulaient ferme trois fois
la semaine à cause de Mussolini. Après quoi ils
allaient prendre un pot rue Campagne-Première.
Ils s'adoraient.

Ça faillit tourner mal en 36. Dacosta se sentit
obligé de faire la grève, par solidarité. Il en pré-
vint son patron, en l'assurant qu'il ferait des
heures supplémentaires les semaines suivantes,
pour compenser, au même prix. Vendresse tem-
pêta, menaça de le chasser. " S'il y avait la grève
des patrons, dit Dacosta, tu la ferais, s'pas? Même
si je te menaçais de partir. " Vendresse continua

de gueuler, pour la forme. Mais l'argument le toucha. Il était très sensible à la justice.

La crise de Munich fut très aiguë à l'imprimerie. " C'est une honte, une honte ", disait Dacosta et sa bouche étroite tremblait sous la petite moustache courte, et ses yeux noirs s'embuaient de larmes. " Allons, allons, disait Vendresse, faut être juste : si les Tchèques les maltraitent, ces Sudètes, tout de même! Il n'a pas tort Hitlère. " " Et les Juifs, ils ne sont pas maltraités en Allemagne? On fait quelque chose pour eux? " disait Dacosta avec une rage rentrée. " Faudrait voir, disait Vendresse. Propagande communiste tout ça. " " Et les Sudètes c'est pas de la propagande? Patron, patron, je te le dis : d'abandon en abandon, on ira loin. Dans trois ans, nous serons vassalisés. " " Vassalisés! tonnait Vendresse. Vassalisés! On l'est pas déjà, vassalisés? Par les Juifs et les francs-maçons? " Suivait un silence pénible. Le commis, juif et franc-maçon, regardait son patron avec une douce ironie... Et Vendresse se sentait un peu bête, fourgonnait ses poches pour y chercher une pipe qu'il savait absente, déplaçait ses petites lunettes rondes sur son petit bout de nez rose, remuait ses grosses lèvres sous la moustache roussie par les mégots.

Vint la guerre. Vendresse et Dacosta avaient
passé quarante ans tous deux. Ils furent mobilisés
dans les compagnies de travailleurs. Je connaissais des gens au Premier Bureau : Vendresse me
demanda d'intervenir et, en avril 40, ils furent
réunis. Leur compagnie travaillait dans la forêt de
Compiègne. Dacosta était sergent, Vendresse
cabot seulement : ils trouvaient ça drôle.

Quand, en juin, les Fridolins menacèrent Compiègne, la compagnie fut chargée d'abattre des
arbres en travers de la route, entre la Croix-Saint-
Ouen et Verberie. Vers le soir, ils commencèrent
d'entendre le défilé des blindés sur la rive droite
de l'Oise, et pareillement en forêt sur la natio-
nale 332, tandis que l'aviation pilonnait le carrefour de Vaudrempont. Ils regagnèrent en hâte
leur cantonnement de Saint-Sauveur, et n'y trou-
vèrent plus personne : le capitaine avait filé dans
sa Citroën, avec ses deux lieutenants.

" Salauds, dit Dacosta. Ah! elle est belle, ton
élite, dit-il à Vendresse. L'assureur-conseil, le
marchand de liqueurs et le petit freluquet d'ac-
tive. De beaux patriotes! " " Faut pas généraliser,
dit Vendresse, énervé. Et puis, peut-être qu'ils
ont eu des ordres. " Quoi qu'il en fût, Dacosta
prit le commandement de la compagnie aban-

donnée, et commença de lui faire faire retraite.
Ils échappèrent de justesse aux panzer, à Senlis,
furent rattrapés à Dammartin, se dégagèrent à la
faveur de la nuit, passèrent la Marne au barrage
de Tribaldou, et décrochèrent définitivement à
Pithiviers. A part quelques traînards, vieux
pépères de quarante-huit ans qui se laissèrent
prendre, affalés à bout de souffle dans un fossé,
Dacosta mena sa compagnie au complet jusqu'à
Gien. Ils subirent quelques pertes au passage de
la Loire; un groupe de la deuxième section, sous
la conduite d'un vieux cabot découragé, abandonna pendant la nuit, entre Bourges et Montlu-
çon; toutefois en arrivant enfin, exténués, à Cler-
mont, Dacosta conservait le contrôle de plus des
deux tiers de son unité. Il fut cité à l'ordre de
l'armée. Le général G*** le félicita en public.

Pétain prit le pouvoir. " Enfin! " dit Vendresse. " Eh bien, dit Dacosta, t'as pas peur. "
" De quoi? aboya Vendresse. Il n'y a que lui
pour nous tirer de là. Si on l'avait appelé plus
tôt... Pétain : Verdun. De quoi as-tu peur? "
" Kapout République, dit Dacosta. Et quant à
nous, les Juifs, ça va barder. " Du coup, Vendresse rigola. " Tu sais qu'au fond, les Juifs, je
les emmerde, mais les gars comme toi... Verdun

et les palmes... le Vieux, laisser tomber ses poilus ? Tu es un beau salaud ! "

On les démobilisa le 3 août au matin. Un train était formé, pour les libérés parisiens, le soir même. Ceux qui voulaient rentrer devaient se décider sur l'heure : les Allemands n'accepteraient plus ensuite, assurait-on, les retours individuels. Ce fut pour Dacosta une décision angoissante : allait-il se fourrer dans les pattes des Fritz ? " Avec le nom que j'ai, ils sont foutus de m'embarquer pas plus tard qu'à Moulins. " " Tu penses ! dit Vendresse. Ils s'en moquent pas mal. T'en fais pas, je te dis. Tu ne risques rien avec le Vieux. Pas d'histoires : tu rentres avec moi. "

Il rentra.

*   *
*

L'imprimerie fut rouverte et, petit à petit, le travail reprit. Tout marchait bien, sinon que les rapports se tendaient un peu entre le patron et son commis. Vendresse triomphait : " Tu vois, hein, le Vieux ? Même ici, les Fridolins n'osent rien faire. " " Va voir dans l'Est et dans le Nord ", disait Dacosta. " Bobards ", disait Vendresse. Là-dessus, la discussion tournait à l'aigre.

Vers la fin de janvier, Vendresse reçut une

visite. C'était un collègue, enfin, un galvano. Sa
carte portait : *Membre de l'Association des Impri-*
meurs-Graveurs-Brocheurs anciens combattants. —
Membre de l'Amicale des Vieux de Verdun. Il s'appelait Paars. Il était gras, un peu trop élégamment
vêtu. Ses grosses joues plutôt molles, rasées de
près, étaient couperosées sous la poudre. Ils
parlèrent d'abord de la pluie et du beau temps,
comme il se doit, pour faire connaissance. Et
puis :

— Alors, tu as fait Verdun, toi aussi? dit
Vendresse (on se tutoie entre " Vieux de Verdun ").

— Et comment, dit Paars.

— Quel secteur?

— Eh bien... à Verdun, dans la ville quoi.
Aux unités de passage. " Il cligna de l'œil. " Le
filon. "

— Ah! oui...

Il y eut un silence. " Et qu'est-ce qui t'amène? "
dit Vendresse.

— Voilà, dit Paars, on est quelques-uns aux
Vieux de Verdun à trouver que c'est le moment
de se débarrasser des Juifs dans la profession. On
fera une pétition à Vichy. Tu marches avec nous,
naturellement?

Vendresse ne répondit pas tout de suite. Il fourgonnait ses poches, pour y chercher une pipe absente. Il déplaça quelques vieux écrous, quelques vieilles clefs, et le vieux manomètre, comme si cela fût à faire de toute urgence. Il dit enfin, sans se retourner :

— Moi, je marche avec le Maréchal. Je pense que ce n'est pas à moi de lui dire ce qu'il faut faire; c'est à lui de nous le dire, à nous de faire ce qu'il dit. Voilà ce que je pense.

Il se retourna, s'en fut derrière son bureau, s'assit. Ses grosses lèvres remuaient sous la moustache roussie.

Il toussa.

— Et alors, dit-il enfin, la galvano, ça marche à peu près?

— Eh bien, dit Paars... moi, n'est-ce pas, je n'ai plus ma boîte, depuis trente-huit. Les manigances d'un Juif, comme de juste. Mais (il cligna de l'œil) ça ne lui portera pas bonheur... Allons, dit-il en se levant, c'est dit, hein? Je mets ton nom.

— Une minute, une minute, dit Vendresse. Les Juifs, c'est entendu, je les emmerde. Seulement...

Il retira ses lunettes, les essuya. Ses yeux étaient tout petits sans les lunettes. Il les remit.

— Il y a des Juifs à l'Amicale; j'en connais. C'eſt embêtant.

— S'ils étaient au casse-pipe, dit Paars avec une espèce de rire qui chevrotait entre les bords d'une moue méprisante, c'eſt qu'ils ne pouvaient pas faire autrement. Pas de sentiment, mon vieux.

— Oui, oui, bien sûr, dit Vendresse. N'empêche, j'aime mieux attendre. Le Maréchal...

— Quoi le Maréchal? Ah! oui, ce qu'on dit qu'il a dit : " Il y avait des Juifs à Verdun... " Tu m'amuses : tu préviens tes clients, toi, quand tu veux les avoir? Allons, allons, décide-toi : tu donnes ton nom, tu ne le donnes pas?

— Non, vois-tu, je ne le donne pas, dit Vendresse.

— Bon, dit Paars. Je ne peux pas t'obliger. Tu réfléchiras. Je ne pensais pas que tu blairais les Juifs.

Vendresse dit, vivement et comme agacé :

— Je ne les blaire pas. Puis, d'une voix plus calme, un peu hésitante : mais ça m'embête de... Le jour où Pétain nous dira...

— Rassure-toi : tu n'attendras pas beaucoup.

Paars échangea quelques mots encore avec Vendresse, des mots pour la forme et sans objet, puis il partit.

Vendresse tournicota longtemps dans son petit bureau. Avant d'entrer enfin dans l'atelier, il jeta un dernier coup d'œil au portrait en couleurs naturelles du Maréchal, au milieu du mur. " Je hais les mensonges... "

Il entra et regarda Dacosta, qui passait des faire-part sur la presse à pédale.

Il tournicota encore dans l'atelier, fourgonnant ses poches à la recherche d'une pipe mythique. Ses grosses lèvres remuaient. Il jetait sur Dacosta des coups d'œil en coulisse.

Pour finir, il ne dit rien.

Dacosta s'était marié peu de temps avant la guerre. Il avait un fils de trois ans bientôt et une fille de vingt mois.

Ils habitaient un petit logement coquet, propre et ensoleillé, qui donnait sur le cimetière Montparnasse, rue Froidevaux. Le dimanche, ils aimaient à y recevoir Vendresse à déjeuner. Devant la fenêtre, il y avait comme une petite terrasse couverte de zinc avec un garde-fou en fer. Vendresse et Dacosta, par beau temps, y prenaient le café. Ils étaient d'accord pour trouver qu'un cimetière, ce n'est pas triste.

Un dimanche vers onze heures, Vendresse se rasait avant de partir, on sonna chez lui. C'était Paars. Oh! que Vendresse ne se dérange pas, qu'il finisse sa barbe : visite en passant seulement, rien que pour bavarder.

Paars cala ses grosses fesses dans le petit fauteuil de cuir, dont le crin s'échappait un peu d'un côté. Il ne semblait pas très bien savoir où mettre ses gros bras. Ses bajoues couperosées débordaient le petit col empesé qu'ornait coquettement un nœud papillon. Il avait des yeux un peu bizarres, mal plantés dans les paupières, comme ceux d'une limande.

— Alors, dit-il en riant, toujours enjuivé?

Vendresse émit, sous la mousse du savon, quelque chose qui pouvait être un grognement ou un rire.

— Tu as vu, le Maréchal, poursuivit Paars, hein, qu'est-ce que je te disais? Tu les as vues, les lois de Vichy?

— Pétain ne fait pas ce qu'il veut, dit Vendresse. Il paraît qu'il a dit qu'il ne les approuvait pas, ces lois.

— Des clous, dit Paars. Regarde ça : tu reconnais?

Il tendait sa boutonnière. Vendresse reconnut la francisque.

— N'a pas ça qui veut, dit Paars.

— Tu es dans les huiles? dit Vendresse.

— Un peu que j'y suis. Je suis à la répartition du cuivre. C'est Grandet qui m'a mis là. Tu le connais? Non? Tu aurais pu : c'était un bonnet dans les Vieux de Verdun et aussi dans la ligue à Deloncle, tu sais (il rit), la synarchie, la cagoule, comme ils disent... Il a parlé de moi au Maréchal. Il faut dire que je connais bien la situation dans l'imprimerie, du point de vue politique, s'entend. Et puis Grandet fait sur le cuivre des opérations d'envergure et je peux lui prêter la main. Bref, ton Maréchal, je l'ai vu. Grandet lui avait dit que j'avais des idées, concernant la décentralisation des grosses affaires dans la profession... Je lui ai parlé des Juifs, tu vois, alors... J'ai dit : " Il faut les briser. " Il a dit : " Vous êtes juge de ce qu'il faut faire dans votre partie. " J'ai dit : " Le bruit court, monsieur le Maréchal, que vous les protégez un peu, à cause de ceux qui sont anciens combattants. " Il a souri, comme il fait, tu sais : avec un œil qui cligne un peu. Et il a dit : " Je dois ménager la sensibilité publique. Tout le monde en France ne pense pas de la même façon.

Je ne peux pas dire sans restriction ce que je
pense. C'est une position difficile que la mienne. "
Il m'a mis la main sur l'épaule, oui, mon cher.
Comme à un vieil ami. Et il a dit : "Agissez
toujours pour le bien du Pays. Et vous m'aurez
toujours derrière vous. " Ainsi tu vois. Donc, si
tu avais des scrupules...

— Mais, mon vieux, dit Vendresse, moi je
trouve que ça ne veut rien dire du tout! Et
même on pourrait croire... on pourrait prétendre... Enfin il t'a encouragé sans t'encourager tout
en t'encourageant. Ce n'est pas net, ça.

— Eh bien qu'est-ce qu'il te faut!

— Il m'en faut plus que ça, oui. Ça veut dire
tout ce qu'on veut, ce qu'il t'a dit là.

— En tout cas, dit Paars brusquement et presque avec une certaine violence, il m'a bel et
bien dit : "Vous êtes juge dans votre partie. "
Donc...

Il accompagna ce dernier mot d'un petit geste
de la main, étroit et coupant.

Il sortit deux cigares de son gilet, en offrit un
à Vendresse. Tandis qu'ils l'allumaient, une sorte
de sourire bon enfant élargit encore le large
visage de Paars.

— Je voulais aussi te parler d'autre chose. Je

m'intéresse à un garçon... Un petit de seize ans.
Il sort de l'école. C'est le fils d'une... oh! je t'expli-
querai une autre fois. Une petite dactylo de chez
moi, du temps que... Enfin, elle a eu ce gosse, je
voudrais assurer son avenir. Et j'ai pensé...

Il chassa de l'index un peu de cendre tombée
sur son veston. Il gratta l'étoffe avec application.

— J'ai pensé que d'être chez toi, ce serait exactement ce qu'il lui faut. D'autant plus...

Il offrit à Vendresse son large sourire bon
enfant.

— Tu es vieux garçon, tu prendras bien ta
retraite un de ces jours. Tu vois comme ça tombe-
rait bien.

Vendresse retira ses lunettes, les essuya, les
remit sur son petit bout de nez rose.

— Oui, oui, je comprends bien, dit-il. Seulement...

Il se leva, s'en fut au fond de la pièce querir un
cendrier-réclame, l'apporta sur la table entre eux,
y secoua son cigare.

— Tu sais probablement que je ne suis pas
seul?

— Sans doute, sans doute, dit Paars.

Il caressait doucement ses bajoues marbrées de
couperose et de poudre. Il dit :

— Ce Dacosta, c'est un Juif, n'est-ce pas?

— Non, pas du tout, dit Vendresse.

Il parlait calmement. Calé au fond de son fauteuil, il restait très immobile, tirant de son cigare de lentes bouffées.

— Avec ce nom-là? C'est drôle, dit Paars, je croyais bien... et est-ce que... On ne l'a pas expulsé d'Italie, autrefois?

— Oui, il y a longtemps. Mais c'est son affaire. Ici il se tient tout à fait bien. J'en suis très content.

— Bon, bon, tant pis, dit Paars.

Il tira deux ou trois bouffées sans parler.

— Tant pis, tant pis, répéta-t-il. C'est dommage. Et ça m'embête. Le garçon est un peu difficile à caser, il est un peu en retard pour certaines choses. Et la mère est là qui... Oui, une petite affaire comme la tienne, c'est exactement ce qui lui convient. N'en parlons plus. Puisque tu l'aimes, ton Dacosta.

Il écrasa le mégot de son cigare dans le cendrier, et ajouta, en souriant :

— Tu sais ce que tu fais, n'est-ce pas?

Vendresse sourit aussi, et supporta sans faiblir l'inquiétant regard des yeux de limande.

**

Il arriva un peu en retard rue Froidevaux. Il fut peu loquace, tandis que madame Dacosta partageait ses soins entre la table des grandes personnes et les exigences des bébés. Vendresse la regardait souvent. De tout temps le fin visage aux lèvres timidement souriantes, aux yeux noirs intenses et profonds, toujours un peu humides, avait remué en lui une tendresse paternelle. Aujourd'hui il paraissait, ce visage, plus fragile que jamais.

Après le déjeuner, madame Dacosta laissa les deux hommes seuls sur la petite terrasse de zinc. Ils fumèrent en silence. Une légère brume automnale estompait le cimetière d'une mélancolie ensoleillée. Dacosta regardait son patron qui regardait la fumée de sa cigarette. Madame Dacosta vint et servit le café. Elle repartit. Ils burent en silence. Dacosta roula une cibiche. Vendresse bourra sa pipe avec application.

— Il y a de beaux salauds sur la terre, dit-il enfin.

— Ça... dit Dacosta, et il n'ajouta rien.

Vendresse alluma sa pipe, tira de nombreuses bouffées pour la faire prendre. Il dit :

— J'en ai vu un ce matin; il est pommé.

— Ah! dit Dacosta.

— D'autant plus salaud... commença Vendresse, mais il vit que Dacosta le regardait avec un œil qui pouvait paraître un peu rigoleur, et il ne termina pas.

Et puis madame Dacosta revint. Elle s'assit près d'eux. La conversation reprit entre eux trois, un peu languissante.

Les jours qui suivirent, Vendresse parla peu. Il tournicotait beaucoup, faisait des rangements. Le travail s'en ressentit. Dacosta ne le remarquait pas ou faisait semblant.

Le lundi de la semaine suivante, vers dix heures, Vendresse brusquement mit son chapeau et s'en fut voir un collègue, rue d'Alésia. Ils parlèrent de choses et d'autres, puis Vendresse dit :

— Pourquoi ont-ils arrêté Whemer?

— Oh! dit l'autre, vous vous en doutez bien. Vendresse rougit.

— Oui, oui, sans doute... Dites tout de même.

Il n'aimait pas ce Whemer. C'était un petit

représentant en papier, spécialités pour faire-part.
Sans âge. Un peu crasseux.

— Il ne portait pas l'étoile. Il avait gratté sa
carte.

— Ce sont les Fritz qui l'ont pigé? dit Vendresse.

— Pensez-vous.

— Les Français?

— Bien sûr. Faut dire qu'il avait une bonne
clientèle. Elle n'est pas perdue pour tout le
monde. Ça se comprend, que voulez-vous. Ils
grouillaient comme des mouches, tous ces Pol-
lacks. Je sais que vous ne les aimez guère, vous
non plus.

— Non, dit Vendresse. Mais ça ne fait rien,
c'est moche tout de même.

Il revint passage d'Enfer. Il s'arrêta une fois
de plus boulevard Raspail, devant l'affiche rouge
bordée de noir qu'il connaissait bien, la sinistre
affiche où figuraient les noms de dix communistes
et autant de Juifs, fusillés comme otages.

Dacosta était à sa casse, il composait un carton
de publicité et boudait un peu, parce qu'il s'agis-
sait d'une manifestation, au profit des prisonniers,
sous l'égide du Maréchal. (Ils s'étaient disputés le
matin à ce sujet.) Vendresse enleva lentement son

chapeau, son pardessus, et vint vers lui les mains dans les poches, en se balançant sur ses petites jambes. Il toussa.

— Dis donc...

Dacosta leva les yeux, regarda le bon visage rondouillard où le trouble et l'incertitude s'inscrivaient de façon attendrissante. Il sourit et dit :

— Alors ça y est? Il faut que je les mette?

Vendresse en eut le souffle coupé. Il ouvrit la bouche, leva une main, ne dit rien. Dacosta reprit tranquillement son travail.

— Si tu crois, dit-il, que je n'ai pas deviné ce qui se mijote... Et est-ce que je ne savais pas, depuis le premier jour, qu'on en viendrait là? C'est toi, avec ton Pétain...

— Laisse Pétain tranquille, dit Vendresse. Il n'y est pour rien. Ce n'est pas sa faute si des salauds...

— On ne va pas se disputer une fois de plus pour ce vieux crabe, dit Dacosta. Si je comprends bien, l'air est devenu malsain pour moi ici?

— J'en ai peur. Ce gros porc de Paars est un infâme salaud. J'ai été con : je t'ai dissuadé de t'inscrire comme Juif, et maintenant...

— Rassure-toi : je ne serais pas dans de meilleurs draps. Nous y passerons tous, je te dis, plus ou moins tôt. Vaut peut-être mieux que ça tourne mal pour moi maintenant; plus tard ç'aurait pu être pire.

— Paars veut ta place pour un minus qu'il a fait à sa dactylo, qu'il ne se soucie pas de reconnaître et dont il ne sait plus que faire, parce que personne ne veut d'un déchet. J'ai même bien compris qu'il entend me racheter la boîte, de gré ou de force, à un prix doux, quand j'aurai blanchi les cheveux qui me restent à inculquer le métier à son abruti. Tout ça tourne autour du fait que je t'ai gardé avec moi, au mépris des lois. Il nous tient.

— Alors qu'est-ce qu'on fait? On ferme?

— Non, dit Vendresse. Si je ferme, Paars prendra la boîte. Il ne l'aura pas, moi vivant. Toi, tu vas filer. Ça marchera ici sans toi le temps qu'il faudra. Tu laisseras tes affaires, comme si tu venais de sortir. Mon vieux, je te le dis : la boîte te reviendra, à toi et à ton fils. Il n'y a pas de Fritz ni de Juif qui tiennent.

Dacosta le prit dans ses bras et l'embrassa. Il dit :

— C'est malheureux quand même...

— Quoi?

— Que tu sois un si brave bougre et que tu t'en laisses si facilement conter.

— Par qui?

— Par les tartufes. Et d'abord par le tartufe en chef que je ne nommerai pas pour ne pas abîmer cette belle minute. Parce que c'est une belle minute. Peut-être la dernière belle minute. Allons, dit-il, je vais tout de même terminer ce carton-là. Après j'irai faire mes paquets.

Il retourna vers sa casse. Vendresse dit :

— Fais voir ta carte.

— Ma carte?

— Oui; d'identité.

Dacosta la lui tendit. Vendresse la regarda et dit :

— Il t'en faut une autre. Tu auras des ennuis avec celle-là, même en zone libre.

Dacosta attendait. Il y avait sur ses lèvres un sourire tout prêt, mais il le retenait.

— Ça me dégoûte de faire ça, je déteste ça, dit Vendresse, mais il faut bien que je t'en fasse une. Oui, ça me dégoûte, ça me dégoûte. Sans ce salaud de Paars...

Il fricotait dans les cassetins pour dénicher les caractères. Il les comparait avec le modèle. Dacosta avait laissé son sourire s'épanouir. Vendresse répétait dans ses dents : " Ça me dégoûte. Devenir faussaire, à mon âge. Et dans une France enfin propre. Ça me dégoûte. " Ses doigts grassouillets et agiles manœuvraient le composteur. Dacosta dit :

— Mais le cachet?

— Nom de Dieu, c'est vrai, le cachet.

— T'en fais pas, dit Dacosta, je sais où le faire mettre.

— Un faux cachet?

— Un faux cachet.

— Mais alors, des fausses cartes...

— Je saurais où en trouver, oui. Mais je serai content, tellement plus content d'en avoir une de ta main.

Il souriait encore. Vendresse devenait rouge, ses doigts hésitaient.

— Tu t'occuperas des gosses? dit soudain Dacosta. Il ne souriait plus. Ses yeux étaient sombres.

Les doigts de Vendresse reprirent leur travail.

— Oui. Tu le sais bien. Tu peux partir tranquille.

— Tranquille... dit Dacosta. Ils sont Juifs eux aussi, et leur mère aussi. Je me demande...

Vendresse le regarda et dit :

— Oh! Tout de même!

— Tu t'es déjà trompé une fois, dit Dacosta.

Vendresse termina sa ligne en silence. Ses grosses lèvres remuaient. Il dit, il bougonna :

— Trompé, trompé, c'est la déveine d'être tombé sur un salaud comme ce cochon de Paars, voilà tout. Tu travailles du chapeau. Une femme, des enfants! Tu peux me croire et partir en paix : tant que le Vieux sera là...

— Tant qu'il sera là je ne serai pas en paix, pas du tout. Mais toi tu t'occuperas d'eux? Tu ne leur laisseras pas arriver malheur?

— Tu les retrouveras frais et roses, je t'en donne ma parole. Maintenant va-t'en. J'irai te porter ta carte chez toi. Je resterai avec ta femme quand tu seras parti.

Dacosta regardait son patron. Il le regardait. Il passait et repassait un doigt sur sa petite moustache. Un léger tic crispa le coin des lèvres, deux ou trois fois, tandis que la main droite dessinait à la hauteur de la hanche un cercle étroit et souple, où s'inscrivait une sorte de renoncement indécis. Vendresse vit tout cela, et pâlit un peu. Dacosta tout de même parvint à sourire. Vendresse aussi parvint à sourire.

— Bon, dit enfin Dacosta. Ça ira.

Il tourna le dos et sortit.

Vendresse s'assit sur le marbre, les jambes pendantes, le menton dans les mains.

II

Comment s'était-il douté qu'il trouverait secours auprès de moi? Je n'en sais rien. Peut-être parce que naguère je prenais toujours le parti de Dacosta, contre lui. En tout cas, c'est chez moi qu'il sonna ce matin-là. Ses yeux!

Vendresse a les yeux bleus; des yeux bleus candides. Ce matin-là ils étaient noirs. Je ne peux pas expliquer ça. En les regardant bien ils étaient bleus comme toujours; mais on les aurait crus noirs.

Il dit, comme ça, tout de go :

— Je veux imprimer des tracts.

Il s'assit et souffla, et commença de se pétrir les genoux.

— Eh bien, dis-je, voilà du nouveau.

Il dit, avec une drôle de voix :

— Oui, voilà du nouveau.

Je voulais me donner le temps de réfléchir. Je dis :

— Eh bien, c'est du propre! Un vieux fidèle

comme vous? Un Pétain-sauvez-la-France, un Maréchal-nous-voilà, un Suivons-le-Chef, un la-France-aux-Français comme vous? Ai-je vraiment compris, ou bien les oreilles m'ont-elles corné?

Il ne dit rien. Il restait là tout tranquille, immobile, un peu inquiétant, à me regarder. Ses yeux étaient noirs. Je pris mon parti.

— Des tracts, dis-je. Bon. Ça peut se faire. Vous savez ce que vous risquez?

Il dit : " Oui ".

— Oh! précisai-je, pas seulement d'être fusillé. Mais, par exemple, de passer à la question, pour donner mon nom, ou d'autres.

Il hésita un peu et dit :

— Qu'est-ce qu'on vous fait?

Je me renversai dans mon fauteuil, croisant nonchalamment mes mains et mes genoux. Je dis :

— Eh bien, par exemple, on vous pique avec des petits bouts de bois enflammés, sous les ongles. Ou bien on vous écrabouille lentement la main, dans une presse. Ou toute autre chose de ce genre. Ou bien encore on vous interroge deux, trois jours, sans répit, sans repos, sous un projecteur aveuglant. Ou bien...

Il coupa : " Bon ", et parut méditer.

Il dit : " Je suis plutôt douillet, pas très coura-
geux. Tout de même, je crois... " Il regarda au-
dessus de la porte, comme s'il y cherchait quelque
objet. Il dit : " Évidemment le projecteur... Dans
les yeux trois jours durant... " Il fit un drôle de
bruit, avec ses grosses lèvres. " On doit devenir
quasiment aveugle, hein? " Je dis : " Ma foi,
quasiment. " " Et quelle migraine, nom de
Dieu! " Je me rappelai qu'il était sujet aux maux
de tête, et compris pourquoi l'idée des projecteurs
le tourmentait (c'était un mal qu'il connaissait).
Je me rappelai alors qu'il était frileux et je dis :
" On vous plonge aussi dans l'eau glacée, plusieurs fois de suite, pendant des heures. " Il dit
lentement : " Dans l'eau glacée... " Il hochait
la tête un peu, l'œil dans le vague. Il me regarda
et dit sérieusement : " Bon, bon, bon... " Je dis
doucement : " Ça ira? " Ses yeux me parurent
bleus. Il dit : " Ça ira. " Je me levai. Je le regardai :

— Qu'est-ce qui s'est passé?

Il sauta. Comme si je l'eusse frappé au visage.
Il devint rouge, puis pâle. Il me regardait avec cet
air étonné qu'ont les gens, dit-on, avant de
s'écrouler, une balle dans le cœur. Enfin il dit
sourdement, les yeux au sol :

— Ils les ont emmenés. Les petits et elle.

— De Dacosta?

Il fit oui de la tête et leva les yeux sur moi.

— De Dacosta. La femme et les enfants de Dacosta. Les petits d'un côté, la mère de l'autre. Elle voulait se jeter par la fenêtre. On l'a empêchée. Moi...

Il se pétrissait les genoux. Ses yeux s'accrochèrent aux miens. Ils me parurent noirs comme l'encre.

— Couillon. Misérable couillon. J'ai cru dans tous ces bandits. Dac m'avait prévenu. Il m'avait prévenu, il m'avait prévenu. J'aurais pu... j'aurais dû... j'aurais...

Il se leva, se mit à arpenter la pièce. Dans la lumière je vis qu'il n'était pas rasé — incroyable de sa part. Il se massait un côté du cou, lentement et pesamment, à le faire rougir. Des larmes coulaient une à une le long du nez, allaient se perdre dans la grosse moustache. C'était comique et pathétique.

— Je les aurais fait déménager, ou coucher chez moi, ou n'importe quoi. Mais je n'y croyais pas. Nom de Dieu de nom de Dieu, comment croire...

Il se tourna brusquement vers moi :

— Vous savez ce qu'il m'a répondu?

— Qui?

Il leva les sourcils et dit : " Ah! oui... "

Il reprit sa marche, s'arrêta devant le miroir, se regarda, regarda sa bonne bouille en larmes, et se mit à rire. C'était assez atroce.

— Ils sont venus chez moi d'abord, avant-hier, non, il y a trois jours. Quel pastis! Mon plomb partout, tout ça piétiné. Pour chercher quoi? Le plaisir de détruire, c'est tout.

— Qui? Les vert-de-gris?

— Pensez-vous!... Ils me disaient : " Allons, vous, un Vieux de Verdun! " c'étaient des blancs-becs, j'ai dit : " Qu'est-ce que vous avez à faire avec Verdun? " Ils se sont fâchés : " Nous servons le Maréchal! " J'ai dit : " Moi aussi. " Ils ont dit : " On ne dirait pas! Où est-il ce Juif? Il n'est pas loin puisque ses affaires sont là. " J'ai dit : " Cherchez-le. " Le plus jeune a dit, — un petit boutonneux, avec des cheveux en brosse : " On s'en fout, d'ailleurs. Si on ne le trouve pas on emmènera la femme et les mioches. " J'ai rigolé. J'ai dit : " Essayez. "

Il s'arrêta et me regarda. Son petit bout de nez, sous les lunettes, était rouge.

— J'ai dit : " Essayez ", répéta-t-il et il me

regardait. " Et je rigolais ", dit-il violemment et j'entendis ses dents grincer. " Parce que je connais bien Tournier, le secrétaire des Vieux de Verdun. " Il s'interrompit et répéta : " Je connais bien Tournier " sourdement et en ricanant, il fit deux petits " ha! ha! " secs, rapides, entre le rire et la colère. Il hochait la tête. Il dit : " J'ai fait un saut là-bas, tout de suite. Avec le dossier de Dac, — Verdun et le reste. J'ai débité toute l'histoire et j'ai dit : " Tout de même, hein? un poilu comme lui, ce serait fort de café. Pas de danger, j'espère? " Il a dit en souriant : " Non, non, nous allons arranger ça. " Le lendemain, en effet, rien. Mais hier...

Il s'arrêta. Je voyais son dos. Un brave large dos bonasse et un peu voûté. Je ne voyais pas ses mains mais au mouvement des bras on devinait qu'il les serrait et les desserrait. Il leva la tête avec un mouvement de cheval (sa nuque grasse et rose fit un bourrelet) et je l'entendis renifler. Il laissa retomber sa tête et s'appuya au bureau. Il me tournait toujours le dos. Il martelait le bureau de son petit poing qu'il avait du mal à fermer, d'un mouvement répété de rage contenue, — de sanglots contenus.

— C'est la vieille boulangère... commença-

t-il, mais sa voix s'étrangla et il dut se moucher
(nous sommes de drôles d'animaux : il était si
comique à souffler de son petit bout de nez rouge
que j'eus du mal, oui, à m'empêcher de sourire.
Et pourtant j'avais le cœur serré.) " Elle tambou-
rinait à ma porte, continua-t-il. A sept heures du
matin, vous pensez! Elle répétait : " Monsieur
Vendresse! Monsieur Vendresse! Ils les emmè-
nent! " J'ai crié : " Qui? " Mais elle n'a pas eu
besoin de répondre : j'ai sauté de mon lit. Il faisait presque nuit. Il fallait bien pourtant que je
m'habille! " dit-il comme s'il eût craint que je
le lui reprochasse. Ses yeux allaient de droite et de
gauche, ils s'arrêtèrent sur une petite toile de
Souverbie, — trois femmes à l'antique, trois
femmes endormies, — et un tel calme émane
des lignes très pures qu'il en rejoint l'éternel,
qu'il apparaît reposant comme la mort. Vendresse
regardait la toile — sans probablement la voir —
ses lèvres tremblaient sous la moustache roussie.
On eût dit qu'il hésitait si cette sérénité par-delà
l'espace et le temps était pour son cœur tourmenté
baume ou souffrance.

— Je suis arrivé trop tard, naturellement, dit-
il. Les petits étaient déjà embarqués, emmenés
Dieu sait où. La mère... " Il émit un toussement

bizarre, qui me fit mal : petit éclat de rire plein
de sanglots et de cris retenus. " Elle hurlait, on
la frappait dans la figure pour la faire taire. J'ai
couru, j'ai crié, mais... " il leva le menton pour
me montrer une meurtrissure auréolée de bleu et
de brun : " ... je me suis réveillé au bord du trottoir. Les voitures étaient parties. Le petit brun
boutonneux me regardait en rigolant. Il a dit :
" Vous voyez, on a essayé "; il a dit encore quelque chose en allemand, et les deux Fritz avec lui
ont rigolé aussi. Ils m'ont laissé là. Les gens m'ont
aidé à me relever, ils m'ont conduit au pharma-
cien. Ils ne disaient rien. Personne ne disait
rien. "

Il parut tout à coup si fatigué qu'il dut s'asseoir. Il s'assit tout au bord d'un de mes fauteuils
profonds, comme s'il n'eût pu accepter un vrai
repos.

— Naturellement j'ai couru aux Vieux de
Verdun. Naturellement personne. Naturellement
pas de Tournier. " En voyage. On vous préviendra. " J'ai dit : " Je veux voir le Président. " On
m'a regardé avec des yeux ronds : " Le Prési-
dent? " J'ai dit, j'ai crié : " Oui, le Président,
le Président! " J'avais oublié qui c'était le Président, sans blague : j'avais oublié que c'était le

Vieux. Et puis je me suis rappelé. J'ai continué à crier, j'ai dit que je voulais voir n'importe qui, quelqu'un de responsable. On m'a mis dans une pièce. On m'a fait attendre une demi-heure, une heure, je ne sais pas. J'aurais tout cassé. Enfin un type est venu, il avait l'air embêté, cérémonieux et embêté. J'ai sorti mon dossier, je crois que je bredouillais, il a dit : " Oui, je sais, Monsieur Tournier m'a dit. " Il a levé les mains d'un air désolé : " Il n'y a rien à faire. " Je suis reparti à crier, il faisait : " Chut... chut... " et enfin il m'a sorti son papier. J'ai mis du temps à comprendre. Le type m'expliquait, mais je n'arrivais pas à comprendre. " Vous voyez, nous ne pouvons pas nous en occuper ", disait-il. Son doigt soulignait une phrase, toujours la même, mais les mots ne m'entraient pas dans l'esprit. *En conformité avec les termes de la susdite loi, les membres de l'Amicale appartenant à la race juive seront radiés de plein droit. En conséquence, ils ne pourront plus*, 1º : *invoquer...* Enfin j'ai compris et j'ai tourné la feuille, pour voir la signature. La signature du Président. Elle y était la signature. Elle y était. " Il cria : " Elle y était! " et d'une voix soudainement morne : " Voilà. " Il répéta : " Voilà. Voilà ", il leva vers moi un pauvre visage à la bouche

tordue, et me regardant comme si j'avais été
Pétain lui-même, me cria dans la figure, une
dernière fois : " Voilà! " et puis ses épaules
retombèrent, ses poings s'enfoncèrent dans ses
yeux, et je m'en allai à la fenêtre pour le laisser
pleurer tout son soûl.

*
**

J'étais très embêté. Au diable la prudence!
Mais si je m'en suis tiré et si personne n'a été
arrêté autour de moi, c'est assurément grâce à
cette prudence obstinée. C'était embêtant mais il
fallait bien le lui dire. J'attendis qu'il se fût suffi-
samment mouché et séché les yeux et je dis :

— Mon pauvre vieux, je suis désolé, mais ça
n'ira pas.

Il dit :

— Quoi?

Je dis :

— Les tracts. Il est impossible que vous impri-
miez des tracts. Vous comprenez bien que vous
êtes brûlé. On va vous chercher toutes les histoires. Ce serait dangereux pour vous, pour moi,
pour nous tous.

Il me regarda un moment et se leva. Il avait

une drôle d'expression, c'était la première fois
que je la lui voyais. Ma foi, je ne reconnaissais pas
mon Vendresse. Il dit calmement :

— Bon. Ça va, j'ai compris. J'irai ailleurs.
J'irai voir les amis de Dac.

Cette fois je ne pus m'empêcher de sourire :

— Les amis de Dac, Vendresse? Chez ces bolcheviks?

Il ne sourit pas, ne rit pas, il dit :

— Oui, chez ces bolcheviks. J'irai voir Coninck.

Je cessai de sourire, je dis vivement : " Non! "

— Pourquoi? dit-il.

Il était sur le pas de la porte.

— Revenez, dis-je. Vous ne pouvez pas aller
voir Coninck, ni aucun des autres. Coninck est
coffré.

Il y eut un silence. Il dit lentement :

— Coninck est coffré?

— Oui, dis-je. Il y a longtemps. Trois mois,
ou davantage.

— Trois mois... mais Dacosta...

— Naturellement, dis-je doucement, il ne vous
l'a pas dit. Il ne pouvait pas vous le dire, à vous,
à cette époque-là.

Son visage s'allongea. Il eut l'air incroyable-
ment malheureux. " Ah! pensai-je, tant pis. On

trouvera bien un moyen, un truc, quelque chose. "

— Écoutez, dis-je tout haut, ne vous tracassez pas. Je ne vous laisserai pas tomber. Rentrez chez vous, et attendez. Je vous enverrai quelqu'un. Je vous le promets. Mais ne faites pas de bêtises.

" C'est vrai, me dis-je encore (comme une excuse). Il vaut mieux que je le garde sous ma coupe."

La nécessité et les circonstances vous donnent des idées. Je trouvai bientôt " le truc " qui pouvait convenir à Vendresse, sans trop de risques : les faire-part de deuil. J'en parlai aux amis et nous nous amusâmes énormément à cette idée, à laquelle au surplus nous trouvions toutes sortes d'avantages : la certitude que ces tracts seraient bien distribués (comment le contrôle postal pourrait-il vérifier chacun des faire-part qui chaque jour sont postés par dizaines de mille?); la possibilité pour Vendresse de les imprimer chez lui en toute tranquillité au cours des premiers mois, pendant lesquels ils seraient stockés (ils ne seraient mis en circulation que plus tard). Nous préparâmes trente modèles différents, il y avait toujours le nom en grands caractères et dessous, en petit, toute la sauce... Nous nous divertîmes prodigieusement à ce travail. Pendant ces trois mois, comme je l'avais craint, on perquisitionna deux fois chez Vendresse. On ne trouva rien. Et pourtant il y avait plusieurs paquets de faire-part, des vrais et des faux. Mais personne n'eut l'étrange idée de les lire.

Les trois mois terminés, et les trente modèles tirés chacun à maintes dizaines de mille, j'intimai à Vendresse de se tenir coi, pendant les semaines où nous les distribuerions. Je lui promis un autre travail aussitôt après. J'étais tout à fait tranquille.

Labiche, mon petit agent de liaison, venait chaque jour me rendre compte des événements, dans le cadre du groupe et aussi de ses tenants et aboutissants. Un beau jour, au milieu de son rapport, il dit : " Ah! : Vendresse. " Je dis : " Eh bien? " Il dit : " Il est en taule. "

Mon cœur se serra. Je pensai aussitôt à Paars. " Dénonciation? " demandai-je.

— Plus que probable, dit Labiche, mais aussi je crois qu'il a fait le con. Il faisait parler ceux qui venaient prendre les paquets chez lui, ils me l'ont dit. Il s'est mis en rapport avec Dieu sait quel groupe. On a perquisitionné avant-hier :

Gestapo... Quel con, c'était la troisième fois pourtant, il aurait dû se méfier... La boîte était pleine de tracts.

— Pas des nôtres? m'écriai-je stupéfait.

— Non, pas des nôtres.

Nous réussîmes à le tracer, bien qu'il eût changé trois fois de prison. Naturellement, je dus quitter mon domicile : je me méfiais du projecteur et des bains froids.

Mais il ne dit rien. Nous sûmes pourtant qu'on l'avait torturé. Il réussit à faire passer un mot. " *Rassurez le Sage* (c'était moi). *Ils ne m'ont pas eu. Le projecteur doit être une blague : pas entendu parler. Les bains, heureusement je tombe tout de suite dans les pommes. Ils m'ont écrabouillé les doigts de pied : en ce moment mes ongles tombent.* "

Pendant sept mois, il resta encore à Fresnes. Et puis, l'Allemagne.

On a eu de ses nouvelles encore à deux reprises, en 44 et en 45. Enfin, en avril, ses camarades l'ont aperçu une dernière fois : en colonne, on évacuait le camp. Maigre à faire peur. Il marchait difficilement.

Depuis, plus rien. Son corps pitoyable doit reposer quelque part, dans un fossé, au bord d'une route d'Allemagne.

La petite madame Dacosta a été gazée à Auschwitz. Des enfants, nulle nouvelle. Ils sont certainement morts.

Je ne sais rien du père. Il aurait, dit-on, été chopé devant Cassino. Je m'effraie énormément à l'idée de le revoir. Quelquefois il m'arrive de souhaiter qu'il ne revienne pas. Je suis très lâche pour certaines choses.

L'imprimerie de Vendresse a été reprise, après l'arrestation, par un vieux typo en retraite, pourri d'alcool. Il travaille avec un apprenti étrange, un adolescent à la tête trop grosse, sauvage et silencieux, sujet à de brusques colères qui impressionnent le voisinage.

Paars, après la libération, a été arrêté trois jours. Mais des gens très bien se sont portés garants de ses sentiments. Depuis fin 43, il versait des sommes importantes à certaines organisations. De plus, il est très au courant de toutes les questions concernant le cuivre électrolytique. Il serait, dit-on, difficile de se passer de lui. C'est un gros bonnet dans l'Office de Repartition. Il y fait la pluie et le beau temps.

Août 1945.

TABLE DES MATIÈRES

IMPRIMÉ EN FRANCE PAR BRODARD ET TAUPIN
6, place d'Alleray - Paris.
Usine de La Flèche, le 05-01-1974.
6945-5 - Dépôt légal n° 3236, 1er trimestre 1974.
1er Dépôt : 2e trimestre 1960.
LE LIVRE DE POCHE - 22, avenue Pierre 1er de Serbie - Paris.
30 - 11 - 0025 - 22   ISBN : 2 - 253 - 00310 - 7

Le Livre de Poche historique
(Histoire, biographies)

Série Histoire *dirigée par Gilbert Guilleminault*

Le Livre de Poche illustré

Série Art *dirigée par André Fermigier*

Série Planète

Encyclopédie Larousse
de poche

C'est la présentation des grands sujets dont le XXe siècle a profondément modifié la connaissance ou l'évolution et sur lesquels l'actualité scientifique ou culturelle retient l'attention et la curiosité du public.

Histoire universelle Larousse
de poche

De la haute Antiquité à l'époque contemporaine, à travers les cinq continents, l'Histoire universelle Larousse de poche fait revivre toute l'aventure humaine. Cependant chaque volume abondamment illustré, forme un tout et permet une vision globale d'une période déterminée.

Le Livre de Poche policier